DU MERCURE SOUS LA LANGUE

DU MÊME AUTEUR

ROMANS
Le Souffle de l'harmattan, Typo, 2001.
Terre du roi Christian, Typo, 2000.
Zara ou la mer noire, Quinze, 1994.

NOUVELLES
Les Prophètes, Quinze, 1996.

Sylvain Trudel

DU MERCURE SOUS LA LANGUE

Roman

LES ALLUSIFS

Courriel : editionslesallusifs@videotron.ca

ISBN : 2-922868-04-4
Dépôt légal – Bibliothèque nationale du Québec, 2001
Dépôt légal – Bibliothèque nationale du Canada, 2001

Diffusion au Canada : Dimedia

Maquette de la couverture : Lyne Lefebvre
Photographie de la couverture : © Serge Clément

Les papillons se noient
dans ce ruisseau
où mon cœur tombe,
et voilà mon cœur qui crie,
et le voici qui suit
la course de l'eau vive,
cette eau glacée qui,
pressée d'aller mourir,
emporte avec les feuilles
l'espoir de rajeunir.

Marilou D., 15 ans

C'est bien beau l'intelligence, mais il faut oublier qu'on sait tout, si on veut décoller ses paupières au saut du lit. Moi, quand je file un mauvais coton, j'ai quasiment le goût de m'excuser de savoir tout trop bien, de ne pas croire aux bonnes paroles rassurantes, de sentir grouiller la vermine sous les tapes dans le dos, mais c'est pas de ma faute : je suis un petit athée de naissance et l'eau sainte du baptême n'a pas déteint sur mon âme méchante, et puis j'ai toujours eu la nuque et les genoux raides. Je suis un jeune baveux, comme qui dirait, un crotté, un rebelle de centre d'achats, un grand sans-dessein qui n'aime rien. Au moins, je vis tout enroulé en escargot dans mon intérieur et je ne mords personne; au fond, je suis pas si pire. Hors de moi, je vois qu'on vit dans la tristesse des choses, loin du temps où les romantiques aimaient mourir, parce que, aujourd'hui, on n'aime plus mourir. La preuve : on se tire une balle dans la bouche, on se pend dans la cave, on s'ouvre les veines, on avale du poison ou on se jette dans le fleuve ou devant un train. C'est pas mourir, ça, c'est s'arrêter net de vivre; c'est en finir une bonne fois pour toutes; c'est ne pas traîner. On ne joue plus avec le feu, mais on met fin au calvaire; c'est pas pareil. On ne se lamente plus comme autrefois parce qu'on a perdu l'espoir d'être un jour compris. Pour être un romantique jusqu'à la pointe des cils, il faut fondre en larmes à tout bout de champ pour des enfantillages; et il faut philosopher sur la cruauté du monde et les horreurs des siècles. Pour aimer mourir, il faut se donner à un public sensible qui se soûle de feu sacré; mais en nous offrant ainsi leur cœur, les romantiques soulèvent le nôtre. Heureusement que c'est fini, cette époque-là, et bien fini. Aujourd'hui, les malheureux sont seuls et désespérés; c'est l'âge d'or de l'isolement et de la vérité crue qu'on ne peut plus supporter ni partager. Le froid glacial, c'est bon pour l'homme : c'est hygiénique, mais en même temps ça dégraisse tellement que ça déshumanise. Mais c'est ça l'univers vrai, ni bon ni mauvais, ni chair ni poisson, le monde tel qu'il se reflète dans les petits souliers vernis des condamnés à vivre; et ça fait qu'il n'y a plus d'amoureux du martyre, il n'y a que des martyrs de l'amour.

Ça y est, je suis crinqué : c'est un bon jour. C'est à ça que je vois ça et ça ment pas. Je parle, je parle, je jacasse comme une pie et je me tombe moi-même sur les rognons, car les mystères de l'univers sont si vastes que je me sens un peu minable d'avoir une opinion là-dessus, mais je me demande pardon : je suis un rêve qui s'effiloche et j'aurai pas de suite, c'est ma défaite. C'est une pensée acide qui réveille mal mais qui fait vivre d'aplomb quand on est capable de se lever debout tout seul. Oh, je sens pas grand-chose encore parce que c'est trop profond, comme une foi noire en moi, mais je paye rien pour attendre, non, j'attends gratuitement, logé-nourri, c'est le cadeau que la vie me fait, et quand ça apparaîtra au grand jour, au ras de la peau et à fleur d'os, je voudrai me déchirer les dernières chairs qui me resteront, c'est écrit. Mes mauvais pieds ont toujours ramassé toutes les maladies qui traînaient, jusqu'à ce que traîne la pire et que je saute dedans à pieds joints, et ce qui m'arrive est une chose logique, j'imagine, normale peut-être, mais c'est dommage de finir de même, je veux dire sans avoir vraiment commencé, sans avoir rien réussi de trop beau. On se sent un peu chien d'avoir tout pris sans rien donner et ça laisse un goût amer dans le cornet à dés, mais, pourtant, tous les espoirs étaient permis et les éléments réunis en planètes autour de mon soleil : j'ai eu une mère, un père et des grands-parents, avec frère et sœur à la clé, chien et tout, et j'ai aussi eu des amis, des vrais, des bons, des qui vous lâchent pas pour l'ombre d'un nuage. Hélas, il faut bien le dire : tout ça pour rien.

Avoir su, je me serais botté le derrière plus fort et j'aurais commencé à vivre avant aujourd'hui, mais c'est trop tard et j'aurai vécu sans qualité, sans richesse : je suis né les mains trouées, comme une dépouille de crucifié. Mais, le pire, c'est que c'est pas la lâcheté qui tue en dernier lieu et qu'on peut vivre mort très longtemps, et qu'à la fin la faucheuse tue un cadavre ambulant – treize morts à la douzaine, c'est le tarif chez les pourris. Maudit bon yeu d'enfant de salope ! Oups, c'est vrai : c'est pas beau de blasphémer, ça fait pleurer les icônes, mais c'est sorti tout seul, et en sortant ça fait sortir le méchant. C'est que je suis à moi tout seul un petit ossuaire au fond du baril. Si, dans le ventre de ma mère, j'avais aidé une vieille dame à traverser la rue, j'aurais pu me dire : « Ah oui, je mérite de vivre, c'est ma récompense. » Mais j'ai jamais rien fait de bon pour mériter la vie et maintenant je mérite qu'on me l'ôte – c'est géométrique.

Renverser
le fleuve du temps
est une tâche inhumaine;
autant chercher
du safran sur la Lune.

Je clos doucement mes paupières toutes bouillantes de fièvre et je sais pas vraiment ce que je vois, mais c'est mieux que quand je les ouvre, et c'est tout dire. Il y a des formes ondoyantes qui ressemblent à des êtres changeants, des mystères phosphorescents qui veulent m'instruire de secrets sans âge ou d'une philosophie étrange, et parfois c'est si beau que je me crois décédé. Des fois, ce sont les visages que j'ai aimés qui viennent repeupler ma solitude. On dirait qu'ils jaillissent d'une lampe des mille et une nuits, souriants et gracieux comme des bons génies, mais lorsque je veux les serrer contre moi, je referme les bras sur le néant.

C'est fou, mais jamais j'aurais cru en arriver si vite à la dernière extrémité du monde, où le moindre de mes regards égratigne ce fragile univers de cristal qui ne me comprend plus. Je suis un peu ailleurs déjà, craché hors des choses simples qui font une vie quotidienne, avec un pied dans la mélasse des nuits. On dit que ce sont des étapes ou des stades, quand on est un peu psychologue de cuisine ou philosophe de véranda et qu'on écoute trop la télévision. Et ça précède le terme, si je vois bien ce que je veux dire.

Le 6 août dernier, j'ai eu six mille jours, et je suis riche des rêves de plus de six mille nuits, mais pauvre d'autant de réveils. Bientôt, très bientôt, je vivrai ma dernière nuit, mon dernier matin, ma dernière heure, et je rendrai mon dernier souffle entre mes dents. Mais, c'est bizarre, on dirait que je parle de quelqu'un d'autre, d'un pur étranger sans visage et sans émotions. Quand je pense que, tout enfant et tout morveux que j'étais, je me demandais sérieusement c'était quand, «bientôt», et si c'était loin, «quelque part», j'ai presque envie de brailler.

Quelque part,
c'est n'importe où,
entre le bout du nez et la fin du monde;
et, bientôt,
c'est n'importe quand,
entre maintenant et la nuit.

C'est drôle, mais c'est pas drôle : les hommes se crucifient comme des esclaves à leur propre mal, conscients de la tragédie mais en même temps tout épouvantés d'eux-mêmes, avec un œil jaune de lâche et un œil noir d'assassin qui se fuient dans un même visage louche, mais les hommes savent pas trop ce qu'ils sont ni où ils vont, et moi ça me tue, vu que j'ai jamais demandé qu'une chose aux étoiles : savoir un peu où j'irais et ce que j'y ferais, pour ne pas mourir malheureux et désespéré. Mais j'aurai tout raté, ma sortie comme mon entrée : une copine qui se remet d'une méningite m'a fait un tarot égyptien ce matin, sur une table à manivelle, sous les regards en coin des infirmières, et j'ai tiré la lame des pleurs à l'instant fatidique. Ça s'annonce mal. Et puis les oignons ont beaucoup de pelures cet automne : l'hiver va être dur.

C'est curieux, mais le tarot égyptien m'a rappelé les ruelles de ma paroisse Sainte-Philomène, ces dimanches où on jouait à lire l'avenir dans les entrailles des pigeons poivrés à la carabine : on était cons, on croyait que le monde serait toujours le monde et qu'on y serait toujours pareils à nous-mêmes. On pensait qu'on vivrait toujours sans se forcer, sans nuages à l'horizon qui font de l'ombre au tableau. On devinait tout ça dans les lobes du foie, dans les plis du jabot, et on emportait ces hallucinations dans nos têtes de linotte. On était tellement cons que j'en ai gardé une honte en moi, une haine de ce qu'on était.

Je voudrais te laisser
un message
sur le miroir de ta nuit
ou te jouer dans l'infini
une petite musique,
comme un amour chuchotant,
mais je suis un petit livre illisible
aux pages collées
comme des ailes
de papillons séchés.

Maman, des fois je sens le miel de ton souffle chaud qui coule dans mon cou frissonnant, et j'entends ton cœur battre jusque sous tes ongles rouges, tes ongles rongés en petites crêtes de coq au bout de tes doigts moutarde, tes doigts de fumeuse crispée, et je songe aux étoiles vernies que tu laisses dans les tourbillons de ton sillage et je souris intérieurement. Tu as fait le sourire que j'emporte et tu lui as donné un nom, je veux dire mon vrai nom caché qui n'est pas mon nom civil, je veux parler de mon nom secret que personne ne connaît exceptés toi et moi, mon nom profond comme une blessure à cause de la douleur d'être soi-même et rien de mieux, mon éternel nom murmuré dans la nuit, la brûlure sur le cœur de mon baptême du feu.

Maman, je me souviens que tu ne parlais pas beaucoup parce que tu écoutais la radio où des femmes tristes racontaient leurs malheurs, mais je me fichais de nos silences. On se parlait autrement, par les yeux comme des sourds-muets, mais c'était pas plus mal. Je t'ai aimée purement dans la cuisine de mon enfance et tu brilles toujours en moi comme un cosmos intérieur, tu es un autre ciel étoilé qui s'ouvre sur le dedans infini, et moi je suis l'étranglement entre ces deux éternités; je suis le serrement de cœur où doit un jour passer le sang effrayé de tout homme, où tout doit ou vivre ou mourir, et j'aurais voulu vivre juste pour te faire plaisir, pour te faire rire, vivre jusqu'à ce que tu meures avec ta main dans la mienne, et puis mourir à mon tour, dans tes traces de pas encore chaudes, dans ton parfum qui aura été mon air du temps, au milieu de tes objets que j'aime comme des êtres.

Ah! maman, mon sang empoisonné siffle et cogne dans ma tête et j'ai envie de crier et de me tuer, mais je te ferais mourir d'inquiétude ou de chagrin, alors je m'enfonce le poing dans la gorge et j'attends que ça passe, ou bien que ça vienne enfin, une bonne fois pour toutes.

Maman, tant que mon cœur battra, que mes yeux verront et que ma conscience saura, je ne laisserai s'échapper de mes lèvres aucune plainte de maudite femmelette effarouchée, juré craché.

La clé des nuits
est au fond de la mer
avec le songe d'avoir été
une bouche de silence
et ma noyade est un rêve,
où tous mes souhaits brillent
comme des plaies,
où je trouve enfin la clé des nuits,
toutes les voix d'une vie,
tous les visages d'un jour sur Terre.

Pour mon plus grand malheur, j'ai jamais cru aux choses simples comme le bonheur sans nuage, parce que je crois les choses bonnes et mauvaises à la fois, vraies ou fausses selon le jour, parfois même selon les lumières mêlées d'un même jour ; et puis les choses sont souvent si ténébreuses qu'on se voit perdu dans le monde et qu'on croit qu'on va mourir à cause de tout ce qu'on ne comprend plus, comme si on se savait au bord du rien, à un orteil de la chute fatale, et je sens qu'on peut mourir aussi sûrement de l'âme que du corps. Autrement dit, on meurt de partout à la fois et à chaque instant, et ça nous mange tranquillement les os et la cervelle, avec un bruit de grignotement de rat, jusqu'au jour du dernier soupir où crève le cœur pourri, et souvent je voudrais me hâter, courir à ma perte comme un fou, mais il y a une épine : j'ai peur d'être trop lâche pour mettre fin au calvaire tout seul, à mains nues. Mais c'est peut-être aussi bien le contraire au fond : je suis peut-être si fort que pour moi l'horreur des souffrances est un enfantillage à côté de l'horreur de l'anéantissement et des solitudes éternelles.

Oh ! je ne comprends plus rien à rien et la tête m'élance, et je ne veux même plus comprendre les choses qui nous menacent, puisque je ne pourrai jamais les vaincre, mais ces choses me mordent si fort que ça m'étrangle, mais ça va, ça va, je déboutonne mon pyjama et je respire par le nez.

C'est rien, c'est pas grave, c'est juste un mauvais jour, comme il y en a tant dans une vie d'homme, même de jeune homme.

La tristesse est assise
au pied de mon lit,
où elle fait semblant de lire
un journal qui parle
d'un feu dans une église.

Papa, tu me fais peur quand tes yeux s'éteignent dans le souffle d'une angoisse. Tu m'as toujours parlé par signes secrets, avec tes mains, ton visage, ta respiration, et j'ai toujours compris tout ce que tu voulais dire dans tes soupirs et tes tics ; je connais le sens caché de toutes tes maladresses, comme si je t'avais tricoté. Avec moi, tu n'as aucune chance de te cacher derrière des simagrées : je te tiens par tous les coins du voile, ce qui me fait te voir jusque dans l'invisible, jusqu'où tu ne te connais peut-être même pas toi-même.

Quand les cloches résonneront sur les toits gris de la paroisse Sainte-Philomène, j'emporterai dans mes poches tes images éternelles : un homme fatigué en camisole, effondré sur le sofa du salon, le soir, la face éclaboussée de la froideur bleue du téléviseur ; un homme grognon qui s'écorche le visage le matin avec de mauvaises lames de rasoir, qui s'ennuie le dimanche et passe son temps dans le frigidaire, qui tète à même la pinte de lait en carton; un pauvre homme qui fume son paquet par jour et crache ses poumons dans le lavabo; un paranoïaque, convaincu que tout le monde le juge dans la rue; un mari gêné d'embrasser sa femme devant ses enfants. Mais, pardessus tout, c'est ton âme que j'emporterai, ton âme qui est une nervosité qui fait trembler tes deux mains gauches; mais les mains d'un homme sont ses enfants magiques qui ne vieillissent jamais, ses petites chiromanciennes qui colportent toujours la vérité à gauche et à droite, le savais-tu? C'est pas comme moi qui mens comme je respire et qui fonce dans un mur à cent milles à l'heure. Aujourd'hui par contre, je vois bien que tu pourrais mourir toi aussi; je te sens tout étranglé, vidé de ton sang, et je sais que c'est moi qui t'inquiète, mais n'aie pas peur, papa, je m'arrange très bien tout seul, et puis je suis pas le premier; faut dédramatiser. C'est vrai : ça dure depuis des millions d'années et ça marche si bien que c'est pas demain que ça va s'arrêter; des milliards de somnambules ont déjà perdu pied pour dégringoler en bas de la Terre et ça ne veut presque plus rien dire, quand on y pense. Si j'étais le premier, je dis pas, mais à l'échelle du cosmos c'est rendu banal, et puis le néant ne peut pas faire plus mal que la vie de tous les jours et je n'ai pas peur. De toute façon, quelqu'un m'aidera bien en temps et lieu à franchir le fleuve des enfers, je sais pas moi, un fantôme, un ange, une âme, une sorte de saint Christophe, ou un grand cheval blanc ailé, quelque chose, ou peut-être grand-papa Langlois. Mais pauvre de toi, regarde-toi : tu es blanc comme la lune et tu n'en mènes pas large. Enfile donc ton paletot, papa, et va prendre une marche autour du bloc, va t'acheter une caisse de bière, des cigarettes et des billets de loterie à l'épicerie. Ça va te faire du bien de t'abandonner à un autre sort que le mien; et le bon vent va te redonner des couleurs.

En vérité je te le dis, je t'ai dit la vérité : j'ai toujours cru en toi et j'ai toujours cherché ta lumière jusqu'au fond des garde-robes, ta chaleur jusque dans l'enfonçure de ton lit, te croyant partout et nulle part comme un esprit saint, et je ne me trompais pas : quand je te parle, j'ai l'impression de prier Dieu tellement tu es lointain et irréel, tellement tu sembles inatteignable, mais secoue-toi donc, papa, s'il te plaît; j'ai peur que tu restes à jamais l'esclave de la peur natale qui t'étouffe, cette peur qui est ton blé, ton pain quotidien, ta pauvre hostie.

Comme tu vois, cher papa, j'ai un penchant pour les apocalypses et j'aime me prendre pour un prophète biblique – l'avais-tu remarqué? Du bas de ma petitesse, ça me donne l'air de tout prendre du haut de ma grandeur, où je fais le coq de cuivre au sommet des clochers d'église, mais d'où hélas je ne vois rien venir de bon, ni la pluie ni le beau temps, ni les jours meilleurs dissimulés par la neige et l'orage, ni l'hirondelle qui ferait enfin ce printemps que j'attends depuis toujours, pas même l'ombre du matin de notre réconciliation, ni celui tant espéré de mon impossible guérison.

Oui, papa, la vie est simple comme bonjour et compliquée comme un adieu, mais dans le secret de mon silence et le silence de mon secret, j'aime d'amour ton âme fiévreuse et anormale.

Je hais le jour,
cette pluie d'insultes
où j'ai commencé à pourrir
dans le ventre des choses,

et je hais la nuit,
cette garce enceinte d'un autre homme,
qui emporte un malheureux
au fond de sa fleur.

★

Dans nos contrées civilisées, les gens préfèrent mourir du cœur : c'est plus noble que mourir de la vessie, des intestins ou des testicules. Ça fait plus propre qu'une cirrhose ou une hémorragie et ça paraît bien dans le journal, et puis ça se dit sans honte et sans pirouette au coin des rues, au centre d'achats ou dans la file à la caisse populaire.

Quand la foudre finit par frapper les angineux, les soirs orageux de grands drames, ils se fouillent la poitrine et s'agrippent à pleines mains au nœud de cravate, et la souffrance déchire leur visage en grimace. Ils ont l'air d'en faire trop, de se gonfler d'un orgueil mal placé, mais ils sont sincères et il faut les croire : c'est la vraie tombée du rideau dans le théâtre de leur vie. Moi aussi, je suis sincère, mais j'ai pas le panache des grands cardiaques et je devrai me contenter de mourir du bassin, un peu petitement, à l'exemple de n'importe quel jeune cancéreux. Oui, je me gaspille comme un écervelé et j'en ai dans la bouche des régurgitations de bile, mais c'est comme ça, quand on ne peut plus regarder qu'en arrière ou au fond de soi, où il n'y aura bientôt plus qu'un courant d'air et une petite flaque de fiel.

Je ne me raconte pas d'histoire à l'eau de rose, c'est pas mon style : ça s'en vient et c'est tout ce qui compte; c'est gravé dans le ciel en lettres de flammes, à la pointe d'une comète. Oh, personne n'a osé me l'avouer, mais je devine tout. J'ai toujours su gratter la surface des visages et saisir le filet de terreur étouffée qui vibre dans une voix, et puis je suis pas complètement demeuré : depuis un certain temps, je reçois toutes sortes de cadeaux inexplicables, du beau linge que j'userai pas, des Astérix et des Tintin que j'ai déjà lus cent fois, des trucs de luxe dont j'ai jamais même rêvé, comme un petit transistor qui se glisse sous l'oreiller, ou une lampe de poche miniature qui fait une vie dans la nuit ; et le facteur m'enterre de cartes de souhaits stéréotypés, achetées à la pharmacie entre les aspirines et les capotes, qui ont l'air de me crier adieu sous l'espoir imprimé en Ontario, et je pense que c'est un signe des temps. J'ai même été visité par des cousins de la fesse gauche, des cousines par alliance et des jamais vues, des oncles et des tantes de longue date, de la visite rare que je vois juste à Noël d'habitude, et toute cette gravité m'a fait grincer des dents. On aurait dit des visiteurs sortis d'une boîte à diable, avec leurs yeux en boutons de culotte et leur bouche tordue par la crainte, mais il manquait la neige et la nuit entre les étoiles, il manquait la poudrerie et l'air coupant sur nos visages, les petites lumières de couleur entortillées à la balustrade de la galerie, le parfum du sapin décoré de boules d'or, de guirlandes d'argent et d'un ange d'aluminium à la pointe en plumeau ; et puis, il manquait les rires et les chansons à boire, le ragoût de pattes de verrat et la bûche à la liqueur ; mais surtout, surtout, il manquait la crèche aux petits personnages légendaires.

C'est irréel de voir apparaître tous ces gens du temps des fêtes en plein mois de septembre, le mois des feuilles mortes, des outardes et des cerises-à-cochons. Ils ne coïncident avec aucune image connue et bougent comme des fumées, à côté de leurs bottes de pluie ou dans le mauvais film de famille. À moins que, cette année, ça soit moi, le p'tit Jésus surprise... (D'ailleurs, le souffle d'un calorifère me réchauffe comme une haleine de bœuf; et quand je sonne l'infirmière la nuit, une petite lumière rouge s'allume au-dessus de mon lit comme une étoile des Mages.) On sait pas : il y a peut-être un petit Jésus qui naît chaque jour sur la Terre et un autre qui meurt aussitôt dans la nuit, aux antipodes, pour pas faire de jaloux, pour pas que chaque peuple se pense le peuple élu et ponde une bible à tout bout de champ. Non, on ne sait jamais rien de rien, mais, en attendant, il mouille à siaux dehors et ça désinfecte le monde.

C'est curieux, mais c'est ici, à l'hôpital, que j'ai appris à m'ennuyer les jours de pluie, et franchement c'est plus facile que je pensais : on n'a qu'à s'accouder à la fenêtre pour songer à tout ce qu'aurait pu être notre vie si seulement on avait eu un peu de chance ou un peu de courage. C'est ce qu'il y a de bon avec la mélancolie : c'est un caviar bon marché à la portée de tous les portefeuilles. C'est fou, mais toute cette pluie ruisselle aux fenêtres comme des giclées de sang. On dirait que le ciel crève de remords et qu'il veut laver quelque chose, peut-être un outrage, et les gens le sentent bien. Ceux qui me visitent tremblent jusqu'au bout des doigts et sont tellement désorientés qu'ils sont certainement sincères, et ça m'attriste de les voir pénétrer dans ma chambre sans trop savoir où mettre les pieds ni où asseoir leurs malaises, l'air d'avoir avalé leur parapluie, sans parler des mots de circonstance qu'ils cherchent dans un chapeau – mais je ne ferais pas mieux à leur place et je les bénis de toute ma grâce de condamné. Ce que j'apprécie énormément par contre, c'est que personne n'essaie de me rouler dans la farine comme un petit poisson des chenaux. C'est ce qu'il y a de bon avec les hôpitaux : à cause de l'hygiène, les visiteurs sont priés de laisser au vestiaire leur bouillie pour les chats. Ils ont l'air lessivés et translucides et personne me prend pour un fou : les infirmières doivent leur glisser dans le tuyau de l'oreille que je suis allergique aux entourloupettes.

Non, je suis pas fou, malade seulement, pas trop encore mais suffisamment, ce qui m'assure de durer juste assez longtemps pour me rendre jusqu'au bout de la fin, sans rien manquer. Je suis rassuré : je vais me voir partir. Ça m'aurait déprimé de me manquer, de disparaître subitement sans m'apercevoir moi-même une dernière fois, pas pour me dire merci ni des niaiseries comme ça, mais juste pour me prendre par la main une dernière fois, pour m'aider à franchir le seuil de la nuit sans fin. J'ai seulement peur que le serein me tombe sur la nuque et d'avoir un peu froid; il ne faudra pas que j'oublie d'enfiler ma veste de laine pour aller à mon enterrement.

Mes yeux ferment le soir
comme des magasins de couleurs
et dans la nuit effrayante
les ventres pleins saignent les ventres vides
et les ventres vides
s'emplissent d'ombres nu-fesses
qui verront le jour
sous un ciel de pain brûlé.

J'ai beau tout voir et tout deviner, je n'arrive pas à crier au scandale comme les petits braillards de mes deux fesses qui ne savent pas se tenir debout. Il faut encaisser la déculottée en fermant sa gueule, en se cousant les babines s'il le faut. La vie mange ses enfants, oui, et alors ? Dans les laboratoires industriels de la planète, des types en blouse blanche écrasent bien des fœtus en purée pour en faire des shampooings contre la calvitie des mâles, et des parfums pour l'éternelle saison du rut des femelles. Et des tas de pays lamentables retournent bien leurs fusils contre leur jeunesse. Et des tripotées d'embryons pleins de défauts d'handicapés finissent bien dans les égouts, en amuse-gueule à rats musqués. Et quel peuple n'a jamais bombardé les jardins d'enfants d'un diabolique peuple voisin qui sera son meilleur ami demain ? Le pire, c'est que nous pouvons tout recommencer demain matin si ça nous chante ou si nous en recevons l'ordre. Les seigneurs de la guerre n'ont qu'à nous parler des bons et des méchants et tout de suite l'écume monte aux lèvres.

Oui, la vie dévore ses enfants, *so what* ? Qui donc va oser se lever pour crier que ça suffit ? Personne, bien entendu, vu que, des enfants, nous en mangeons tous.

Il est lourd le secret,
le secret de l'homme de rien :
on dirait
on dirait le remords,
le remords d'être né.

Dans les couloirs des hôpitaux, les gens marchent sur des œufs avec leurs gros sabots parce qu'ils portent la mort en eux. Ils jouent les naïfs, les vierges offensées, mais connaissent d'instinct les souffrances qu'ils peuvent causer et ils veulent se rapetisser par pudeur, le temps d'une génuflexion au chevet d'un perdu, mais au pied du lit je les reconnais mal : on les dirait remplis de honte, humiliés; je les vois sous un jour nouveau et c'est effrayant. On voit bien qu'on n'est jamais celui qu'on place en vitrine pour la galerie – et on se demande alors qui diable on peut bien être dans le fond. On est peut-être juste ce que l'instant exige qu'on soit, ce qui reviendrait à dire que chacun n'est qu'une des milliards de variétés d'un seul et même visage grimaçant dans l'éternité. On est peut-être juste un ramassis de mimiques dépareillées qui flottent sur un océan de politesses et de banalités, qui sait ? Mais non, ça se peut pas, il faut qu'il y ait autre chose qu'un rat malade au fond du trou – une musique, une couleur, une présence, une chaleur, une âme peut-être, quelque chose comme une humanité, et pas juste un petit moteur de sang aveugle qui ronronne mécaniquement.

En tout cas devant moi, qui soient-ils, les gens prennent leur air coupable de lendemains de péché, vu qu'à leurs yeux je suis une innocente victime et qu'ils ont la générosité de s'accuser d'être en santé, mais ça cloche toujours un peu : ils ont beau se dégrader de force, on voit bien qu'ils rayonnent et que la joie est en eux. Tant mieux pour eux et tant pis pour moi, le monde est ce qu'il est et faut faire avec. Ce qui m'aiderait le plus, d'un autre côté, ce serait qu'ils soient tous comme d'habitude, fins et comiques, assez vulgaires quand il faut, sérieux quand c'est le temps, mais pas trop longtemps, grivois et surprenants, parfaits quoi, comme d'habitude, et qu'ils ne soient surtout pas gênés de me dire que tout va à merveille pour eux, qu'ils nagent dans le bonheur. Ça me ferait du bien d'entendre ça, mais je rêve en couleurs, car il y a maintenant du neuf entre nos regards, du neuf qui défait tout, qui change les choses de place en nous, en repousse certaines au plus creux, en ramène d'autres à la surface, et ce remue-ménage est une grave source de douleurs et de malentendus. Et quand j'entrouvre la bouche pour émettre un son, mes visiteurs boivent mes paroles; ces assoiffés ont besoin de plonger le petit seau au fond de mon puits pour en ramener un peu de mon eau de source et ça m'intimide. Fasciné, je les regarde m'écouter, mais ça m'empêche pas de tourner et retourner dans ma tête une méchante obsession : « Faut surtout pas que je dise des bêtises... »

Ils sont bien fins d'être tout ouïe, ils sont pas obligés, mais ils ont leurs raisons : là où j'en suis de l'existence, toute nouvelle parole risque bien d'être la dernière, celle que parents et amis se rappelleront toute leur vie durant. Moi, de mon côté, je dois m'appliquer si je veux crever à la hauteur des attentes et ne décevoir personne. C'est que j'ai des montagnes de pitié pour eux, mes pauvres proches, et, en prévision de leurs longues soirées d'hiver, je désire leur laisser des bons mots gras et dodus, avec beaucoup de viande juteuse autour de l'os à moelle. Je jongle donc avec toutes sortes de dernières paroles spirituelles parce que je sais bien que la nature humaine a la mémoire courte et que les gens se souviennent surtout de la fin du spectacle : les ombres qui se bousculent derrière le rideau, les portes qui claquent, les lumières qui s'éteignent et la sortie des morts.

Mais le plus délicat, pour un mourant, c'est de prévoir l'instant exact où le courant sera coupé. Alors, si je me mets à m'attendrir sur les fleurs du tapis ou à m'hypnotiser sur les mouches du plafond, je risque de ne pas voir venir dans mon dos le coup de pied-de-biche et d'expirer une platitude au moment crucial, et j'aurais tout gâché l'effet dramatique de mes dernières paroles. Je sais que ça n'a pas de sens de sacrifier mes derniers jours pour quelques malheureux mots, c'est comme mettre le corbillard devant les chevaux ou baratter l'océan, mais j'ai jamais eu de sens et c'est certainement pas aujourd'hui que je vais commencer.

Personne pourra me sauver, faut se faire à cette idée, mais, d'un autre côté, faudrait pas se fourrer le doigt dans l'œil : au fond, j'aurais voulu être triste comme un garçon normal, parole d'honneur, mais j'y arrive pas; on dirait que j'ai une roche au fond de la gorge qui bloque le flux, ou que je suis une roue à aube qui renverse les rivières.

Ton moïse t'emporte
sur le fleuve du monde,
vers les terres
des enterrés vifs,
et tu te demandes :
Après la mort,
n'est-ce pas comme avant la vie,
noir, vide et silencieux?
N'est-ce pas comme
dans le cœur d'un arbre foudroyé?

À cause de moi, des vies sont bouleversées et ça me gêne beaucoup de déranger les habitudes de tout le monde. Ma mère a abandonné son travail, ce qui lui permet de venir me voir dépérir un peu plus chaque jour, avec ses pauvres sourires. Elle fait la gaie, la rieuse, et je vois apparaître ses dents brunies par la cigarette et le café, mais je sens bien que le cœur n'y est pas. Je vois que ses yeux pleurent à la maison : ils sont de la couleur inimaginable des nuits blanches, cernés du sel des larmes et ennuagés de petits vaisseaux rouges éclatés en cheveux d'ange. Ma mère ne veut pas me perdre, et je ne veux pas perdre la vie, mais nous perdrons tout. J'ai beau me débattre à contre-courant, dans le fleuve déchaîné du monde, je suis moi-même un monde à l'envers, le parfum qui revient dans sa fleur après avoir flotté autour des maisons, un arbre qui rentre dans la terre, le cri ravalé des hommes. L'univers le veut, l'univers me veut, et je me demande : puis-je vraiment me battre à mains nues contre ces montagnes colossales qui égratignent la lune ? Des fois, devant toutes ces pauvres faces de carême qui viennent me nourrir de regrets à la petite cuillère, je sens qu'il faudrait que je pleure, que je joue dans un mélodrame, mais c'est moins fort que moi et tout se passe comme si de rien ne sera. C'est trop près, j'ai le groin écrasé contre la porte des morts et je ne vois pas toujours que tout est fini.

J'en suis là, recoquillé dans mon dernier retranchement, parce qu'une méchante saloperie dévaste mon corps : un cochon d'Inde maléfique court comme un con dans sa cage tournante, au cœur de mes entrailles, et le petit Satan me gruge les os, surtout ma hanche droite, cette aile de pelvis qui s'est amincie dramatiquement avec les années. Tout récemment, un chirurgien m'a éventré pour se glisser dans ma personne et me raboter les os avec le diable sait quelle varlope. À mon réveil dans l'éveilloir où tout baigne dans le néon et les gémissements, l'homme a semblé bien désolé de m'apprendre que j'ai la hanche en feuille de papier ; si on plaçait une bougie derrière, on verrait trembler la flamme à travers l'os et ce serait d'une grande beauté sinistre. Pour remercier le chirurgien d'être allé voir mon désastre en personne, j'ai vomi dans une bassine chromée en forme de rein ou de piscine de banlieue.

Ma pauvre petite hanche à moi, mon bel os en aile de raie que j'aimais et qui m'aidait à vivre ma vie, qui me servait à me tenir debout au milieu des événements, elle n'est plus qu'un fragile éventail japonais en papier de riz. J'en ai mal jusque dans le col du fémur et jusque dans mes vertèbres sacrées, mais j'y peux rien et la médecine non plus; c'est dire ma ruine et la déchéance où je me ramasse.

Depuis cette triste découverte médicale qui me perd sans retour, j'ai emménagé à l'hôpital où j'essaie tant bien que mal de me faire un petit chez-moi accueillant malgré la chaise roulante stationnée le long du mur et qui m'attend comme une limousine, prête à m'emmener vers de nouvelles aventures sans lendemain. Mais ça sera jamais la plus charmante des garçonnières ici, c'est entendu, et je dors dans un lit de métal froid qu'on dirait rembourré de noyaux de prunes, bizarre lit repoussant où, la nuit, le sommeil ne vient pas toujours à cause de l'odeur écœurante des médicaments, où de toute façon les rêves sont toujours abominables vu l'esprit des lieux.

Oui, la nuit, ça cauchemarde en chœur à la grandeur de l'étage et il m'arrive de mordre dans mon oreiller, vu que c'est souvent la nuit que les os me torturent le plus. En désespoir de cause, je marmonne en grimaçant des je-vous-salue-Marie avec des Italiens, qui récitent le chapelet le soir, dans mon petit transistor glissé sous mon oreiller. D'autres fois, quand ça va pas trop mal, j'attrape au vol une lointaine partie de hockey pleine de friture, ou bien j'écoute de la musique, les lignes ouvertes ou les nouvelles, et j'ai un faible pour les annonces de chars, de magasins de linge bon marché et de restaurants dégueulasses, qui me font sourire, et ça goûte presque bon, la vie, quand je m'oublie un peu dans la nuit.

Au fond, je m'en fous quasiment de mourir, parce qu'à l'âge que j'ai, à presque dix-sept ans, ça avance moins bien qu'avant : j'ai pris un sérieux coup de vieux et j'ai peur d'avoir déjà vécu le meilleur de moi-même et de commencer à radoter. Je n'aurais vraiment pas aimé ça, vivre ma vie en braillant sur ma jeunesse enfuie, surtout que, la jeunesse, quand on y pense, c'est rien et n'importe quoi, c'est une chose et son contraire, une légende à dormir debout; c'est rien qu'une croyance populaire et c'est con comme le folklore.

La jeunesse,
c'est dix ans quand on a vingt ans;
vingt ans quand on a quarante ans;
quarante ans quand on a soixante-dix ans.
La jeunesse,
c'est l'éternité des demeurés.

C'est drôle, mais je m'écoute gargouiller de la cervelle et je comprends pourquoi ma pauvre psychothérapeute s'inquiète de ma santé mentale, mais je suis inconscient, ou peut-être trop conscient, je ne sais plus, mais dans cette bouillie j'ai quand même saisi une vérité : je mourrai, oui, mais sans espoir, sans le vulgaire besoin d'être aimé et regretté. C'est peut-être ça, au fond, être un homme, un vrai, et je le suis peut-être devenu sans le savoir, comme on tombe malade une nuit durant son sommeil, qui sait? C'est vrai, quoi : mon malheur a bien dû commencer à un moment donné, ça ne sort pas de rien, ces malpropretés-là, il doit bien y avoir un instant zéro, le coup de clairon de la première mutation. Peut-être que je me trouvais au milieu d'un match de hockey l'hiver passé; ou peut-être que j'étais à l'école, en train de suer sur un examen de mathématiques; ou peut-être que c'est arrivé en plein été, pendant que je regardais ma mère trancher un melon; ou pendant que je me baignais dans la rivière avec ma sœur et mon frère; ou pendant que je courais les bois avec mon chien. En tout cas, j'ai rien senti quand l'antéchrist est entré en moi, quand la puissance noire a commencé à régner de tous ses rayons sur mon royaume. C'est un envoûtement venu dans un souffle, une sentence qui ne pardonne pas, et ça vit comme une énigme sur du sang emprunté, mais au moins ce ravage aura fait de moi un homme grave. La preuve, c'est que, à choisir, j'aimerais mieux être aimé par une seule femme libre que par tout un harem d'épouses enchaînées. C'est pas un exemple de belle maturité, ça? Mièvre et dégénéré comme personne, je suis prêt à passer à la télévision, mais c'est juste une façon de parler : au fond, j'ai perdu le goût d'être vu comme je suis et je voudrais m'éteindre en secret, dans mon coin sombre; je souhaiterais juste crever comme un chien, mais je devrai me contenter de crever comme un homme, ce qui est quand même un bel effort.

En passant, elle s'appelle Maryse, ma psychothérapeute, Maryse Bouthillier, et elle m'a appris que son nom vient de loin, d'il y a mille ans, du Grand Échanson de la Bouteillerie du roi Philippe Ier. (Un échanson, c'est quelqu'un qui sert à boire, dans le *Petit Larousse* de Maryse, entre l'échangiste et l'échantillon.)

Maryse Bouthillier, c'est une vraie psy d'hôpital, avec une tenue irréprochable et un grand sérieux. Elle a l'air un peu froide de loin, mais, de près, c'est un petit velours, avec ses bijoux d'yeux et son nez translucide en fève de Lima. Elle embaume je sais pas quoi, une sorte d'épice ou d'écorce, ou une fleur d'Afrique, et ça sent bon quand elle se penche sur ma vie pour mettre l'oreiller en bourrelet contre le mur et m'aider à m'accoter dans mon lit. Ensuite, nous échangeons des propos, mais je ne m'en rends pas très bien compte parce que j'ai la tête ailleurs. Je rougis un peu d'en murmurer la cause, mais voilà : c'est que je vois toujours un peu les seins de Maryse en secret dans l'ouverture de ses blouses et c'est un vrai commencement d'univers qui s'offre à moi, presque un début de bible capable de me rendre croyant, mais je dis rien : c'est que je ne suis pas encore tout à fait un homme légal devant les tribunaux, mais toujours une sorte d'adolescent qui ne veut pas finir, coincé entre deux peaux; et la différence d'âge et de milieu avec Maryse Bouthillier me clôt le bec, mais j'accepte sa silencieuse offrande féminine comme de l'argent à la messe, qui est de l'argent gratuit.

« Maman, combien ça coûte, l'argent ?

– Ça coûte cher. Ça coûte les yeux de la tête. »

C'est un souvenir d'enfance qui explique pourquoi j'ai longtemps cru que tous les aveugles étaient riches, et je raconte aussitôt l'histoire à ma psy qui est friande d'anecdotes et d'autobiographies, ô Maryse de mes soupirs qui doit bien me voir zieuter sa belle échancrure parfumée, jamais je croirai. On est malade mais on n'est pas mort tous les jours, et quand ça file un bon coton je dois loucher comiquement, comme les crapets-soleil de la baie Missisquoi de mon enfance; et puis une femme doit bien ressentir des fourmillements sur la gorge quand un homme lui fait quelque chose comme un amour lointain, avec des yeux brillants à fleur de tête; et ce nuage qui la frôle doit lui chatouiller la peau, mais elle est psy, cette femme qui soigne mon invisible qui saigne, et ma puberté ne doit pas être le genre de mutation qui l'effarouche trop, elle qui a dû en voir des vertes et des pas mûres, sinon je ne serais pas un de ses dossiers. Mais peut-être qu'elle pense que je reluque la petite plaque où est gravé son nom, ou son collier de fantaisie qui attire sur elle la lumière, ou alors elle croit que je flotte dans le songe de Dieu, la tête pleine du néant des hautes sphères, vu le cul-de-sac où s'en va s'égarer mon destin aux pieds nus, dans la fumée des galaxies. Le pire, c'est qu'elle ne se tromperait quasiment pas : des fois, c'est vrai que je réfléchis profondément à l'Éternel, mais jamais longtemps parce que la brûlure fait trop mal. Oui, Dieu, ça arrache le morceau; j'ai appris ça avec le mal qui me ronge. Il reste que les seins, c'est des beaux mystères de femme, des pays de lait et de miel, et j'en aurais bien fait mes pâques éternelles, mais, voilà, je ne connaîtrai jamais le dimanche infini d'une vie heureuse avec une femme nue qui m'aime et que j'aime dans mon lit. C'est que je suis encore une miette trop jeune et il est une miette trop tard à la grande horloge des choses. C'est fâchant en saint-simoniaque : il s'en est fallu d'à peine deux miettes pour que je vieillisse jusqu'à devenir l'homme tant espéré et que je me rende jusqu'aux pieds de la femme promise, mais j'emporterai ce grand secret dans la terre, encore un, et ça me fend le cœur. Je ne leur aurais pas fait de mal, moi, aux femmes : je leur aurais demandé comment les aimer en détail et j'aurais fait tout comme elles auraient dit. Oui, je pleure de voir mes mains si bien faites pour épouser la forme des seins et le corps des femmes, mais je mourrai pauvre, les mains vides et le cœur en gibelotte, et je serai sans vie dans la poussière, avec la beauté morte allongée à mon côté.

C'est pas croyable, mais si j'avais eu l'âge de Maryse Bouthillier, je l'aurais peut-être un jour embrassée entre le nez et le menton, juste là où ça doit faire un peu d'électricité sur le bout des lèvres, mais j'aurai jamais d'autre âge que l'âge que j'ai aujourd'hui, et ça donne froid dans le dos d'y penser; je suis déjà arrivé au bout de ma corde comme un petit biquet qui a tout brouté son rond de pissenlits. Mais je pense qu'elle m'aime bien, Maryse Bouthillier, d'un amour professionnel j'entends, et moi je l'aime plus que bien, de mon amour malade et finissant qui est mieux que rien, et je l'attends toujours impatiemment à l'horizontale, dans ma garçonnière. C'est qu'elle vient souvent me voir pour que je lui remonte le moral et ça me fait plaisir de l'encourager. Et puis c'est gratis au point où j'en suis. Je n'ai plus les moyens d'être exigeant ni de demander autre chose qu'un brin de pitié, et je voudrais bien profiter de mon agonie jusqu'à la dernière goutte de soluté : j'ai payé le gros prix, moi, ça m'a coûté la peau des fesses et l'œuvre d'une vie, et j'en veux pour toutes mes piastres durement gagnées aux sueurs froides de mon front. Je suis dans mon bon droit de victime et il n'est pas encore né, le nazi d'euthanasiste qui me refusera ça.

En plus d'avoir un teint fleuri et des yeux de café, elle a deux beaux enfants accrochés à sa chevelure de comète, Maryse ma psy, des enfants qu'elle a mis au monde dans une photo où sourit un homme qu'elle avait mais qu'elle n'a plus, qu'elle a dû perdre parmi ses paperasses ou entre deux rendez-vous, ou bien alors elle a été perdue par lui qui aimait ailleurs comme dans les meilleures familles, mais ce que Maryse Bouthillier voit sur mon visage lui servira à les aimer encore mieux, ses enfants, les aimer toujours et profondément, et c'est ce que je lui souhaite en toute amitié. Ce n'est quand même pas de la monnaie de singe, un éternel amour profond, et j'aurai au moins servi à inspirer quelque chose de plus grand que moi à quelqu'un de plus vieux que moi ; ce sera ma médaille de bravoure épinglée dans ma chair de poule. Pas pire pour un gars rendu infertile par ses moutardes azotées, les cyclophosphamides que je déguste par pilule de cinquante milligrammes. J'aurai été infécond par la force des choses, mais j'ai toujours eu un faible pour la stérilité, comme si dès la naissance mon jour s'était noyé dans la nuit des temps, où depuis je bois le lait suri de la solitude, une solitude incurable que je cache à tout le monde, même à mes meilleurs amis, mais que je promène partout comme l'ombre d'une croix.

D'un autre côté, je suis plus fouineux qu'une belette et je me demanderai toujours ce que ça fait d'avoir des enfants qui vous dévisagent comme des miséreux et qui ne peuvent pas vivre sans vous, qu'il faut nourrir et caresser, sauver des varioles et des myélites pour les élever à hauteur d'homme, et qui pleurent pour vrai quand vous partez. C'est quand même rare qu'un être humain puisse pas vivre sans quelqu'un d'autre, même dans l'amour c'est inaccoutumé, la preuve flotte partout dans la lumière, hormis peut-être chez les vieillards qui n'ont plus rien ni personne et qui n'ont même plus d'horizon; mais c'est la magie de l'enfance, je suppose.

Je me demanderai toujours aussi ce que ça peut faire, d'être heureux, moi qui suis incapable de croire au bonheur : le bonheur, pour moi, c'est des histoires qu'on se raconte pour s'endormir, et si c'est utile pour trouver le sommeil, c'est quand même juste des mots qui ignorent ce qu'il y a vraiment au fond des solitudes. Non, c'est pas le bonheur qui mène au cœur de l'homme, c'est autre chose, je sais pas quoi, c'est l'homme lui-même, ou mieux : la femme.

Ça fait quand même drôle de voir ça, une psy séparée qui marche gracieusement dans le couloir avec des dossiers en accordéon sous le coude. Maryse Bouthillier a son style et son parler, un swing de vamp apprivoisée, une belle personnalité soignée jusqu'au bout des ongles, et je reconnais toujours son pas de loin à cause de ses talons de bois qui résonnent comme des lames de xylophone, et j'aime la musique de ses bracelets d'argent. Elle a du khôl sur les cils, des joues de fruits, une nuque toute en frissons de lumière; elle a sur son bras nu un beau vaccin en cratère de lune, mais aussi une meurtrissure au doigt, celui de l'alliance éternellement éphémère qui lui a blessé les chairs, et on se dit qu'elle a vécu et qu'elle doit savoir de quoi elle parle. On se dit aussi que c'est une femme libre et ça nous fait saigner le cœur de ne pas être l'élu du sien propre.

Parfois, quand ma psy vient s'asseoir près de moi pour m'entretenir de la vie avec son parfum cher, sa voix de flûte et son haleine de faon, je regarde bouger ses lèvres framboisées et je suis à un cheveu de lui demander la permission d'effleurer un sein inimaginable, mais je me domestique, je reste tranquille et je réponds un peu n'importe comment à ses questions compliquées, et quand le temps vient pour moi de lui révéler mes secrets pour que ce soit une vraie thérapie, eh bien je mens, mais c'est de bon cœur, juré craché, et c'est le mieux que je peux faire pour la rassurer. Oui, je mens, mais c'est encore une manière d'aimer sa mentalité, et en ayant l'air de rien j'admire sa gorge de la couleur du cœur des fraises; et puis c'est bon pour l'homme, le mensonge : ça le rapproche un peu des vérités de la femme si difficile à toucher, je veux parler des hauteurs vertigineuses de la femme où l'air se raréfie, où l'homme cherche son souffle. Et j'avoue que ça fait éclore des nuées de papillons dans l'estomac, mentir à une femme, surtout à une psychothérapeute intelligente. On se dit qu'elle doit bien savoir qu'on sait qu'elle sait, et ça tisse des liens sentimentaux. C'est de la haute voltige, du fil de fer au-dessus des flammes, mais ce que j'aime le plus chez elle, c'est qu'elle n'est pas collet monté pour deux sous : elle me voit au ras des chatons de poussière avec mon peuple.

Avant, quand j'allais à l'école, j'avais la transparence du firmament et les filles ne me voyaient pas; leurs regards ultraviolets me transperçaient et je me sentais comme la surface d'un ruisseau, mais, maintenant que je m'en vais lentement par les os, je suis devenu un jeune homme vu, regardé malgré son allure quelconque, et même examiné sous toutes ses coutures certains jours, et, franchement, je fais pas la fine bouche et je prends ce qui passe : ça donne l'illusion d'être quelqu'un et ça met un baume sur la plaie le temps que ça dure, même si c'est jamais agréable d'être obligé de faire pitié pour être aperçu dans l'entrebâillement d'une existence, au fond de ce monde misérabiliste.

L'autre jour, à force de me creuser les méninges, j'ai fini par comprendre ce qu'elle me veut vraiment sous son visage lisse et derrière ses pupilles de verre, ma psychothérapeute en or : elle souhaite m'aider à faire la lumière sur mes ténèbres, à nommer des sentiments douloureux, des émotions fortes jamais baptisées qui tournoient peut-être comme des charognards dans mon ciel tragique, en des spirales de planètes lointaines qui peuvent épouvanter l'homme sensible et le faire mourir du mauvais pied.

C'est vrai que c'est pas une mauvaise idée de s'arranger le portrait, de se cirer un peu l'âme et la chaussure avant d'entrer dans l'éternité, mais pas question pour moi de régresser jusqu'aux vagissements de l'utérus cosmique, j'ai ma dignité; alors je me demandais si son beau projet me concernait vraiment. Si c'est pas pour moi, que j'ai dit, pour qui est-ce que je le ferais? Elle ne voulait pas me répondre, mam'zelle Chose, et ça m'a pincé la vanité. Je jetais un peu de foudre noire par les yeux et j'ai bouillonné pour une secousse dans ma fâcherie, mais sans savoir que j'étais le jouet d'une ruse qui a bien fonctionné : j'ai fini par briser la glace et par dire la vérité pour une fois, pour inaugurer une nouvelle ère entre nous deux. Oui, je me suis lancé dans la parlotte et je l'ai bien étonnée, ma psy favorite, en affirmant que c'est pas tout noir comme on pourrait le croire, la fin des fins. Par exemple, je lui ai expliqué que ça m'apprend l'oubli, qui est une bonne chose pour autrui, que ça m'enseigne à ne pas être le nombril du monde, à m'effacer mathématiquement de l'univers, dans un dépouillement sans religion où on respire enfin, et, franchement, je trouve que ça soulage énormément la perpétuelle tension de l'ego braqué sur ma propre image depuis le berceau, depuis mon premier jour dans ce monde de fous.

Elle a gribouillé des notes sur du papier d'hôpital, avec un stylo d'université, en fronçant les yeux et en entrechoquant ses bracelets d'argent. J'ai bien aimé la voir coucher ainsi ses pattes de mouche sur ces pages vite noircies : j'ai pensé que je jouerais un rôle dans une thèse de doctorat, très bientôt, et que ma psychothérapeute gagnerait un jour un meilleur salaire grâce à moi.

Eh oui, les lépreux se flattent comme ils peuvent.

Ensuite, j'avais d'autres vérités pour elle dans mon sac à malice, où m'attendait l'homme qui m'a fait comme je suis, qui a fait ce qu'il a pu avec ce qu'il avait; et quand j'ai été prêt à me trahir, j'ai commencé par dire que les visites de mon père m'encouragent beaucoup, parce que je me trouve chanceux au fond : je meurs juste à temps et j'aurai pas sa vie, il ne me léguera pas ses faiblesses d'homme que le proche avenir me réservait. C'est que, depuis toujours, mon pauvre père fonce comme une flèche dans la noirceur de son existence, sans admirer le paysage ni humer le parfum des fleurs, et il ne sait pas qu'il y a des prés l'été pour pique-niquer, des étangs gelés l'hiver pour patiner, des printemps en sirop et des automnes en confitures. Je ne voudrais pas avoir sur mes os sa peau de commis aux écritures qui est son sot métier. Il passe sa vie, sauf le dimanche, dans la cave d'un entrepôt de meubles, où il ne fait rien de ce que son cœur lui demande. Je déteste penser à cette tristesse humaine qui me déchire quasiment plus que le mal physique, mais je sais que les rêves de mon père finiront dans le tonnerre d'un infarctus. Son cœur est une bombe à retardement vu ses antécédents familiaux, vu le cœur de mon grand-père Langlois bourré de nitroglycérine, qui est mort avant que je naisse, le cœur explosé comme une grenade, de telle sorte que, si je colle l'oreille au sol pour savoir ce qui s'en vient, j'entends déjà la terre trembler.

Le plus détestable défaut de mon père est d'être un homme loyal : il a toujours fait ce que les autres voulaient qu'il fasse, mais, le plus désespérant, c'est qu'il le fait mieux que personne, sinon il ne serait pas assis sur la même chaise dans la même cave depuis vingt ans, parmi les coquerelles, dans le cercle lumineux d'une petite lampe suspendue en chapeau chinois. On dirait que mon père attend un miracle dans la pénombre, la venue sur terre d'un archange de liberté, mais il ne s'aide pas : il a souvent le moral dans les pieds et il a peur d'être un homme vu ayant cru. C'est qu'il manque tragiquement de foi en cet homme qu'il pourrait devenir s'il le voulait vraiment, et ça m'atteint au plus profond. Si les yeux sont le miroir de l'âme, les yeux de mon père sont un miroir sans tain, car je n'ai jamais vu l'ombre d'une âme s'y mirer. C'est pas qu'il en a pas, mais c'est qu'elle est cadenassée au fond de l'être où elle se meurt, et seuls des tremblements remontent jusque dans les mains de cet homme. Mon pauvre père si gentil, si fatigué, si démuni. Il mériterait mieux que ça. J'aurais envie de lui dire :

« Papa, ne cherche plus, n'attends plus : c'est moi, ton miracle, ton ange de liberté... »

J'espère que ma modeste mort ébranlera mon père et le fera basculer du côté où les gens vivent un peu. C'est le moins qu'un homme puisse espérer de la mort d'un de ses enfants.

★

Ici, nous sommes une tripotée de poussins blottis au creux d'une aile chaude de l'hôpital, notre mère à tous. La nuit, quand parfois je réfléchis les yeux grands ouverts, je perçois un vrombissement continuel qui fait tout trembler, comme une émotion qui se propagerait dans les murs, et c'est l'hôpital qui vit tout autour de nous et ça me rassure; je me sens pareil à ces chatons trouvés qui se pelotonnent contre un réveille-matin et prennent les tic-tac pour les battements de cœur de leur mère perdue.

À travers les vitres de ma garçonnière, je peux apercevoir, la nuit, une épaisse fumée qui s'échappe en bouillonnant d'une très haute cheminée de brique, derrière un vieux bâtiment de l'hôpital, et je me demande si, loin des regards des malades démoralisés, des préposés ne brûleraient pas là les jambes gangrenées, les grappes de ganglions fistuleux, les longues sections de côlons et tous les organes envahis de tumeurs, toutes les chairs noircies arrachées à la carcasse des malades rongés par les cancers qui errent de par le monde et s'abattent sur les innocentes proies pour leur dévorer les poumons, les intestins, la prostate, l'utérus, les seins, le foie, la cervelle. L'homme en santé n'imagine pas tout le mal qu'il a en lui et c'est une bonne chose, parce que ça lui permet d'exister sans s'éclater la tête contre les murs, mais moi je possède le feu de la connaissance que j'ai dérobé aux dieux et je tremble à la pensée que je vais peut-être bientôt flamber par morceaux à mon tour, dans ces fours crématoires là, sous la cheminée de brique, et que je vais partir en fumée dans le firmament au-dessus de la ville où j'ai vécu, à travers les ruelles où j'ai joué au ballon et au hockey, où j'ai appris à faire du bicycle en toute ignorance de cause; mais j'essaie de me consoler un brin en me disant que mes amis, mes parents, mon frère et ma sœur me respireront peut-être dans le petit matin, qu'ils renifleront ma fumée sur le chemin du travail ou des écoliers, pour m'emporter au loin, avec eux dans leur vie, dans leur chair, tout dissous dans leur sang chaud qui me fait déjà le plus grand bien.

Là où j'en suis, je veux dire déjà un peu derrière les choses, un peu au-dessus des foules, on pense à toutes sortes de trucs inutiles, on s'échauffe la cervelle à s'en donner des méningites, mais, des fois, on trouve quelque chose qui traîne à terre ou qui flotte en l'air, une supposition ou une théorie, et on la recueille comme si c'était un oisillon tombé du nid, et c'est ainsi qu'une nuit j'ai ramassé une croyance, l'idée que le corps et l'esprit forment deux êtres qui se haïssent de toute éternité, mais qui sont réunis de force par je ne sais trop quelle magie noire, par une sorte de gravité maléfique, une attraction terrestre infernale, et l'un de ces deux êtres malheureux est devenu l'esclave de l'autre au fil du temps, je veux dire l'âme esclave du corps, et c'est pourquoi l'âme ne peut plus se manifester dans le monde visible et qu'elle se laisse humilier par le corps qui, lui, s'adonne à toutes les saloperies et les cochoncetés inimaginables, et voilà pourquoi personne ne se montre jamais aux autres dans toute sa pureté, mais que chacun est porté à salir, à calculer, à trahir, à cause du corps qui torture l'esprit et lui crache dessus. Et ça explique aussi pourquoi l'âme miteuse pâtit dans l'empire des maladies.

Je suis tellement mal pris que c'est avec ces folies-là que je m'étourdis quand je me tortille comme un ver à laitue au creux de mon lit, mais, plus généralement, je me demande stupidement à quoi j'ai servi, à quoi je sers, à quoi je servirai, comme si j'étais de la famille de l'ouvre-boîte, du fil à fromage ou de la pince à blé d'Inde. Le pire, c'est que je trouve des réponses. Ô Grand Épiploon… d'où venons-nous ?… Ô Gog, roi de Magog… où allons-nous ?… On vient de là et on s'en va là… ou peut-être l'inverse. Tout est possible ou impossible.

« Ô Fanfreluche des boîtes à surprise, qui suis-je ? »

Tiens, c'est la première fois que je parle depuis longtemps et ça me fait tout bizarre d'entendre ma voix qui résonne en moi comme dans une cage d'escalier. C'est à se demander si je suis encore habité, s'il y a encore âme qui vive dans mes profondeurs.

« Ô Pollux et Zébulon, ô Thor et Pharaon, venez voir si j'y suis. »

J'ai beau faire le zouave, je sais tout : je suis toujours en vie et je joue le rôle de l'oiseau rare grâce à qui les autres mesurent leur chance et comprennent qu'ils se plaignent pour des pépins de pomme. Personne en parle, personne le dit, mais je serais pas surpris d'apprendre que bien des hommes font mieux l'amour à leur femme après m'avoir vu la face à l'hôpital (peut-être pas le soir même vu la pudeur, ni le lendemain vu les remords, mais le surlendemain mettons), moi qui sais si bien mettre la vie en valeur par contraste. Oui, je suis persuadé que j'aide en secret un paquet de maris un peu brusques au lit d'habitude, emberlificotés dans leur vie matrimoniale et leurs mensonges ordinaires, mais qui, placés devant la réalité des choses par ma déconfiture, se mettent à réfléchir à leur condition pas si pire au fond, pour découvrir la tendresse et l'abandon dans les bras d'une épouse que, finalement, ils aiment plus qu'ils croyaient. Sur ce, on peut m'applaudir et j'accepte les dons, mais il reste que c'est vrai : si j'avais servi rien qu'à ça, je veux dire à faire faire l'amour à des couples qui commençaient à se tomber royalement sur les nerfs et à se sentir la cervelle picotée par l'idée du divorce ou de l'adultère, eh bien je m'envolerais heureux dans mon assomption, un beau sourire de petit saint de plâtre accroché aux lèvres.

Parlant d'amour, un soir j'ai écouté un bout d'opéra sur le FM de mon transistor, juste pour voir, et j'ai aimé ça; tellement que le lendemain j'ai chanté comme un pied, oui, j'ai chanté l'amourr, toujourrs l'amourr. L'amourr est tenfant de bohême qui n'a jâmais, jâmais connu de loi!... J'ai une voix riche : elle écœure vite. On m'a bombardé de pantoufles et d'oreillers pour me faire taire, mais j'ai eu le temps de repenser à la petite école où mon premier amour sonnait la cloche, une vraie cloche à main qui brillait au soleil dans la cour d'école. Ah! qu'es-tu devenue, ô ma première vie?... Je ferme les yeux et ça tinte au loin, mais qu'est-ce qui cloche avec cette cloche? Elle est brisée : il n'y a plus de maîtresse d'école au bout. Les cloches dorment dans les campaniles... les maîtresses, dans les campanules... un amoureux sous les jupes, comme un taon qui pique ou une idée qui fait son chemin, mais une maîtresse sans craie ne vole pas bien haut, comme une coccinelle sans ailes, mais, sans ailes, suis-je encore amoureux d'elle?... La triste réponse est restée dans un encrier au fond de l'enfance, avec le message que j'ai jamais osé lui écrire. Il a séché dans mon cœur barbouillé, et c'était : voulez-vous m'épouser? Ah! moi qui voulais être tout pour elle, je ne suis rien pour mon chien! Je meurs en secret comme un moineau, et dans la poussière où je suis tombé, les enfants éternuent jusqu'à l'école buissonnière où ils comptent sur leurs doigts, et sur leurs orteils pour se rendre jusqu'à vingt. Un, deux, trois, je pendouille à une croix... quatre, cinq, six, à côté du Christ... sept, huit, neuf, qui vole un œuf vole un bœuf... dix, onze, douze... Quoi ! j'ai douze doigts ! Je suis un bandit ! J'en ai volé deux à quelqu'un qui en a huit ! Ça compte pas ! Je veux ressusciter, moi itou ! Mademoiselle Villemure, répondez-moi, voulez-vous m'épouser ? C'est moi qui vous le demande, oui, moi, le mauvais larron empoisonné par le péché, car je suis le mal dans la Bible. Délivrez-moi du Livre ! Il fait si froid à l'ombre de l'église... mais je volerai le vin de messe pour baptiser notre montgolfière... Oh, mademoiselle, partons dans le soleil où vous serez encore plus ma maîtresse. Sauvons-nous dans les étoiles où vous me sauverez. Mademoiselle Villemure... Comprenez-vous la place que vous occupiez dans le tourbillon de mes jeunes matins d'école ? Mais vous m'avez aussi appris la souffrance et la jalousie, cet automne où je vous ai aperçue, au supermarché, au bras d'un homme ramené des vacances d'été. Vous achetiez des pommes et vous étiez heureuse, vous en souvenez-vous ? Ah, l'amourr... l'amourr est tenfant de ma chienne !...

J'ai souvent besoin d'une piqûre, surtout avant une biopsie, et c'est des drogues qui causent l'euphorie, comme l'amour – mais quand on revient à soi on vomit souvent.

« Et qui est-ce qui va me voir les fesses ?

– Personne, juste moi.

– Juré craché sur la tête de Dieu ?

– Juré. »

C'est bien mieux d'être vrai, matante, sinon attention, je vais boycotter vos injections et vos prises de sang et l'hôpital va faire faillite. Pas question que je montre à n'importe qui mes deux lunes en peau de menton.

Les infirmières, on les appelle toutes « matante » pour l'illusion, pour créer un petit lien de parenté qui peut pas nuire.

« Ton grand-père vient juste d'arriver, mon garçon… Il s'en vient… tiens, le voilà… »

Grand-papa, oh ! grand-papa Baillargeon, c'est toi pour de vrai. Ça y est, ça y est, je ne suis plus le même homme. D'abord, des pas comme des battements de cœur, un souffle coupé qui est le choc d'une joie, puis une ombre dans le cadre de porte où mon existence est suspendue à un fil, une noirceur en forme d'homme que j'aime avec un chapeau nerveux à la main. Des chaloupes aux semelles, une écharpe qui aime le vent, un pardessus et un pantalon luisants d'usure, des soies de blaireau dans les narines, des oreilles qu'on mâcherait tellement elles ont l'air bonnes, des énormes lunettes noires sur des yeux embouteillés. Des grosses mains velues et pleines de sentiments qui tournent autour du chapeau. Une hésitation qui renifle et qui se mouche, mais surtout, surtout, un poitrail de buffle rempli d'affection pour son petit-fils qui n'aura jamais le temps de le décevoir ou de le scandaliser. Ravalons nos colères et louons le Seigneur, c'est le temps ou jamais.

Mon grand-père a toujours les poches pleines de petits poissons rouges au girofle, béni soit-il.

Grand-papa, je suis fou de bonheur quand je n'attends personne, puis que tu dégringoles du ciel tout d'un coup, comme un prophète tombé d'une étoile filante ; c'est une belle surprise quand tu retontis avec ton couvre-chef à plume de fauvette.

C'est drôle, j'ai beau avoir pas loin de dix-sept ans et toutes mes dents de sagesse, j'ai la gorge qui se noue quand mon grand-père m'embrasse sur le front et me serre contre son épaule. Ça me fait fondre et ça me guérit quasiment, oui, quasiment, ce qui est déjà beaucoup dans l'état où je suis.

« Comment va grand-maman ?

– A va pas pire… A va venir dimanche… »

Dimanche, toujours dimanche, rien que dimanche. Les grands-parents n'ont que ce jour-là à la bouche et ça me rend triste pour eux qui s'ennuient dans la vie et qui aimeraient qu'on aille les voir plus souvent, mais, voilà, la fin de semaine, c'est le karaté, la natation, le hockey, le piano ; on est des personnes bien occupées à édifier la civilisation des loisirs, ce qui fait que dans quelques années on ira parquer les grands-parents dans un mouroir pour avoir la sainte paix, parce que c'est pas un loisir de garder chez soi des vieillards qui divaguent et qui font sous eux. Heureusement que je serai pas là pour voir cette déportation.

Je me rappelle avoir entendu un jour mon grand-père Baillargeon affirmer qu'il n'y a pas trente-six misères, seulement deux : la jeunesse et la vieillesse. On vit ou on meurt, c'est tout, et ce sont là les seules vraies misères du monde, qu'il disait. Et puis, pour lui, les poètes sont des peureux qui vivent la cervelle dans les cieux avec les moineaux zinzins, qui papillonnent autour d'un soleil qui est leur nombril, et qui font jamais rien de bon dans la vie, contrairement aux manuels qui, eux, savent quoi faire en toutes circonstances sans s'enchanter d'eux-mêmes, qui ne craignent pas la vraie vie terne et sale et sans gloire, mais si pleine de vraies souffrances à soulager tout autour de soi, et pas plus loin qu'au coin de la rue ou que dans la pièce d'à côté. La grande dignité des hommes, et la seule chose noble à faire en ce bas monde selon mon grand-père, c'est de vivre comme si de rien n'était, comme si on ne voyait rien venir à l'horizon ; et ceux qui vont bien doivent s'occuper de ceux qui vont mal en attendant d'aller mal à leur tour, et puis c'est tout. Pas de quoi, là-dedans, torchonner des poèmes. Évidemment, mon grand-père ne parle plus de ces choses-là depuis que je suis devenu moi-même toutes les misères du monde, depuis que je poétise ma pauvre réalité élémentaire, et je sais qu'il aurait honte s'il savait que je me souviens de ce dimanche-là, honte d'avoir trop parlé à travers son chapeau même si je crois qu'il a raison, et, pour le lui prouver, je dis rien de grave, je parle de la météo au nom de l'amour qui nous unit, comme si je ne voyais rien venir à l'horizon, et j'espère qu'il s'en rend compte.

« Est-ce qu'il fait beau dehors ?

– Pas chaud… Y a un p'tit vent… »

Oui, dehors, un p'tit vent mortel souffle sur ton pays que je vois par la fenêtre et qui est un bien étrange pays, grand-papa, où les gens sont gras durs mais pleurnichent comme des lavettes, où deux et deux ne font pas quatre comme ailleurs, où les campagnes saccagées sont des capharnaüms de vinyle et d'aluminium, où les villages défrichés ressemblent à des tas de boîtes à souliers qui cuisent au soleil ou qui suffoquent sous la neige, où les villes sont des verrues, où les écoles ont l'air de manufactures, où tout pourrait avoir lieu mais où jamais rien n'arrive ; et si je n'allais pas mourir de mort naturelle, je me demande si à vingt ans je n'aurais pas songé à me faire sauter la cervelle, comme tous les jeunes de ton triste pays gris, grand-papa. Mais, en même temps, c'est un pays qui me soigne, qui ne peut plus grand-chose pour moi mais qui veut soulager mes douleurs et qui espérera un miracle jusqu'à la fin; c'est un pays qui me nourrit, me lave, me sourit, et qui aimerait me voir retourner à l'école; un pays qui tente sur moi des opérations chirurgicales insensées, mais qui payera ma note astronomique sans rechigner; un pays naïf qui voudrait si bien faire qu'il réussit à m'émouvoir, un pays que j'aime malgré tout parce que c'est celui où j'aurai ouvert les yeux et où je les refermerai. Je n'aurai vu dans ma vie que de la lumière de Canada, les étoiles de la baie Missisquoi et la lune des parkings de centres d'achats balayés par les vents d'hiver, et j'aurai été caressé par le soleil que les gens promènent en eux comme un saint sacrement.

Oh, grand-papa, j'ai l'air de faire mon indépendant au bord du chemin, mais si tu savais comme ça va mal, tu comprendrais tout. Crois-tu, grand-papa, que c'est une chose possible, que je puisse me réveiller, un bon matin, tout lavé de mon mal jusqu'à la blancheur des os, purifié jusqu'à l'âme, tout nouveau tout beau?

Des fois, grand-papa, j'ai des lueurs d'espérance qui m'aveuglent et je me pense guéri, mais qu'est-ce que tu veux, mets-toi à ma place : c'est pas de ma faute si l'homme est un pauvre type qui prend sa lèpre pour de la dentelle.

Non, c'est pas de ma faute si je suis un homme. À dire la vérité, ça serait même plutôt un peu de la tienne, grand-papa, mais je te pardonne tout, j'efface d'un geste magique tous tes péchés, sauf ceux auxquels tu tiens vraiment.

Je reconnais mon ombre dans l'ombre de mon grand-père, mon tremblement dans ses mains, mon ignorance dans ses yeux. Je n'ai aucun doute quant à l'origine des espèces.

★

Je n'ai pas encore parlé des plus affreuses journées, celles où le mal m'éventre et me laisse les yeux bouillants et vitreux, le visage décomposé, les os à vif et le front graisseux où collent comme des algues mes cheveux sales; où mon pyjama mouillé pue la transpiration. Et quand les infirmières viennent chambouler mon lit pour javelliser les draps dans lesquels j'ai sué mon sang et ma lymphe, j'ai toujours peur qu'elles découvrent un saint suaire qui me déshumaniserait comme une espèce de dimanche de Pâques, comme la résurrection du Christ qui a tout gâché en effaçant les souffrances de la Passion, en annulant le sacrifice du Vendredi saint.

Personne comprend que des fois j'ai le goût d'assassiner tout le monde, que j'ai souvent besoin de cracher sur tout ce qui bouge, d'être plus cruel que jamais, je veux dire quand je sens que je suis fait comme un rat, que la gueule du loup se referme sur une nuit fatale et que je ne peux plus supporter la vie des autres, ces inconscients tout boursouflés par l'espérance de vie qui est la mesure du possible – mais c'est rien, c'est rien, c'est juste mes aigreurs de moribond qui me remontent du fond des tripes avec ma mauvaise foi. Ne t'en fais pas, ne t'en fais pas, répète comme un perroquet l'abbé chauve qui boitille dans les corridors sur sa canne à tête de bouc, sans savoir que c'est le démon lui-même qu'il réchauffe ainsi dans sa main, l'abbé Guillemette qui me dit toujours hypocritement que j'ai de la jarnigoine, pour pouvoir ensuite mieux me tromper avec ses enseignements fumeux – ne t'en fais pas, la vie est plus belle que tu crois, la mort est moins dure que tu penses, blablabla. Mais c'est une vraie manie d'imbéciles : parce que je refuse de croire en leur monde artificiel et endormeur, ils insinuent tous que je suis dans l'erreur et que j'ai la berlue, ce qui est doublement impossible, vu que, l'erreur, nous nous enfonçons tous dedans comme des enclumes, et que, la berlue, je l'ai déjà eue à sept ans.

Ici, à l'hôpital, je suis cerclé de toute une couronne d'amis malades qui me ressemblent par la destinée, mais jusqu'à un certain point seulement, qui est une fourche où chacun bifurque sur son dernier bout de chemin de croix solitaire, et c'est pourquoi à la fin nous ne mourrons pas tous pareillement : certains vont en baver comme des chiens jusqu'au bord du trou, tandis que d'autres sentiront à peine sur leur joue la caresse du grand voile. Le plus beau, c'est que quelques miraculés en réchapperont par la peau des dents, avec tous les honneurs, par exemple Louis, mon ami de la chambre voisine.

La semaine dernière, les chirurgiens l'ont tout désossé pour aller recoudre la déchirure que ce charmant garçon avait dans le cœur, un vrai trou de sainte lance en pleine patate. C'est qu'avant son opération des flots de sang sale du ventricule droit souillait son beau sang propre du ventricule gauche qui revenait des poumons, et la pompe défectueuse renvoyait dans l'aorte le mélange empoisonné. Il souffrait d'une espèce de maladie bleue qui tue lentement mais sûrement à longue haleine, mais, maintenant que Louis est réparé, il fonctionne mieux qu'un homme neuf, et le cœur bien huilé lui ronfle dans la poitrine comme une petite dynamo qui fait jaillir des étincelles jusque dans ses yeux, comme un cœur de saint. Le secret est qu'on a érigé un petit mur dans son cœur raccommodé, et qu'on y a créé des zones : une cité impériale pour le sang pur; un bordel pour le sang métissé. Pas de mélange, car le cœur est une monarchie; c'est le siège des émotions.

« C'est sûrement psychologique, m'a dit Louis, mais on dirait que quelque chose me chatouille dans le cœur.

– Ah ?... Tu devrais peut-être en parler à Maryse Bouthillier, elle est pas mal bonne dans le mental.

– Oui, je verrai, mais, en attendant, le sang fait vibrer la corde de violon avec laquelle ils m'ont recousu, et le pire c'est que je peux même pas me gratter.

– Qui te dit que c'est pas de la ficelle de boucherie ?

– Non, c'est une corde de violon, la plus aiguë, la corde de *mi*. »

Il m'étonnera toujours, ce drôle de Louis, qui dit aussi qu'on lui a fracassé le thorax comme une pince de homard, et que, après l'opération à cœur ouvert, on a refermé la cage avec de la broche à poules.

« Quand je fais rouler mes épaules, je sens que ça joue dans le croquant... »

Il veut dire que le cartilage craque au sternum et que la broche cherche à percer la peau, mais on s'habitue, qu'il dit.

« C'est peut-être bien achalant, que j'ai répondu, mais c'est mieux que pas de patate pantoute... »

C'est bien beau, les jeux de mots, mais ça pédale toujours un peu dans le beurre, et la question à cent piastres demeure en suspens : comment gratter un cœur qui pique ? La réponse est cachée dans un biscuit divinatoire comme une maxime de Lao-tseu, le philosophe préféré des restaurants chinois.

Cœur qui démange
est un amour en cage
qui bat les secondes
d'un autre sang brûlant.

Dans une semaine, mon petit saint Louis quittera l'hôpital avec son cœur délivré et tout vibrant de musique, qui lui servira bientôt à aimer une fille inespérée, mais, en attendant l'amour qui s'en vient à cloche-pied au coin de la rue, mon ami passera ses temps libres à célébrer notre mémoire, à raconter notre épopée tragique à ses amis qui n'en croiront pas leurs oreilles, l'histoire épouvantable des pauvres perdus qui auront eu moins de chance et qui auront crevé avant l'heure normale, avant que la mort ne scandalise plus personne, je veux dire la mort des vieillards qui fait bâiller les peuples, et nous, les élus du sacrifice à la lune, nous irons nous encager à jamais dans la tête des enfants trop sensibles. Mais ce n'est peut-être pas un service à leur rendre et je me demande finalement si les survivants ne feraient pas mieux de taire la débine où nous serons tombés.

★

Petit miracle l'autre matin : alors que je m'attendais à rien, j'ai croisé le destin d'une fille avec laquelle j'ai tout de suite senti que je serais bien. Un peu gênés d'être un garçon et une fille qui avaient l'air d'avoir le goût de se parler mais qui faisaient semblant de rien, on patientait roue contre roue en silence, dans une salle spéciale de notre étage où quelqu'un vient nous chercher pour nous emmener ailleurs, souvent dans les entrailles de l'hôpital où grondent toutes sortes d'immenses machines effrayantes qui nous bombardent de toutes sortes de rayons pénétrants qui font réfléchir. Moi, ç'allait être les X pour photographier mes poumons, et elle, les gamma pour lui brûler la rate qu'elle a énorme comme un gros épi de blé d'Inde sanglant.

Soudain, nos regards en coulisse se sont emmêlés comme des cerfs-volants et on s'est liés d'amitié par la force des choses. Je me suis présenté de mon mieux en bredouillant, mais elle a passé par-dessus ma nervosité pour me dire qu'elle s'appelle Marilou, Marilou Desjardins, puis elle m'a raconté le malheur de sa vie pour en finir au plus vite et passer à mieux entre nous :

« Il y a quelques années, pour ma confirmation, mes grands-parents m'ont offert une belle montre avec des chiffres et des aiguilles qui brillent dans la nuit, comme l'âme des sauvés, mais faut pas se fier à ça, parce que c'est de la lumière mortelle comme celle des bombes atomiques, et les rayons radioactifs ont tout détruit le sang de mon poignet, autour de la montre, et le mal s'est répandu dans tout mon corps et un matin je me suis levée avec une leucémie. »

Ça donne des frissons dans le dos de savoir que ç'a commencé avec l'absence de menstruations, puis qu'on lui a scruté le sang jusqu'aux globules pour y découvrir des cellules anormales avec des chromosomes de Philadelphie. C'est comme ça que ça s'appelle, qu'elle m'a dit, Marilou qui allait peut-être vivre malgré tout, mais les oncologues n'osaient pas encore se prononcer : ils sont prudents comme des aveugles et on les comprend de ne pas vouloir jouer avec le feu des autres. En attendant de lire un avenir quelconque dans les entrailles de Marilou, ils se décarcassent pour exterminer tous ses globules blancs détraqués et la traitent à l'espérance chimique, mais sans lui sucrer la pilule.

« Pis toi, qu'est-ce que t'as ?

– Un ostéosarcome et six chances sur dix de frire dans la casserole aux petits oignons. »

Je lui ai expliqué que d'habitude ça fait son nid dans le genou, mais que moi je suis un original.

« Mon sarcome à moi, il est allé se fourrer entre l'aine et la fesse… »

J'ai attendu un peu, mais rien. J'avais cru qu'évoquer ma fesse l'aurait fait sourire, mais non. Elle est restée pensive, Marilou, mais je ne me suis pas découragé.

« Ici, j'ai quand même appris une chose qui m'a beaucoup rassuré : je suis pas allergique à la couleur jaune… »

Ça, ça l'a sortie un peu d'elle-même et de ses problèmes, et je me suis expliqué.

« Dans mes comprimés de cyclophosphamide, il y a du jaune numéro cinq, et ç'aurait pu me causer des allergies, mais ça va bien… Je vais pouvoir garder mes pantoufles de Phentex… »

Elle a reluqué mes pieds et a fini par sourire, mais le plus beau, c'est que, de fil en aiguille, on a découvert qu'elle et moi on écrit des poésies, et la chose nous a unis dans l'invisible. Sur ce, le gars que j'attendais est arrivé en coup de vent pour me ravir et m'emporter au loin, dans les catacombes du troisième sous-sol, et Marilou et moi on s'est donné rendez-vous plus tard, pour lire les lignes de nos mains.

Mon pousseur de pousse-pousse semblait avoir des moineaux dans le ventre tellement il gargouillait dans l'ascenseur (où j'avais les oreilles à hauteur d'estomac), mais c'est rien, qu'il m'a dit, c'est du météorisme.

Au fond de la cave m'attendait le préposé aux irradiations qui s'appelle Robert et qui est un p'tit comique. Je le connais bien : on se fréquente depuis des semaines au milieu des particules; c'est toujours lui qui me mitraille avec ses canons à cobalt, ses accélérateurs d'électrons et autres armes de guerre.

« Salut, le grand, comment ça file ? »

J'ai répondu que ça filerait mieux si j'étais normal, mais que j'essayais de faire contre mauvaise fortune bon cœur pour voir si ça se peut, mais quand toute la fortune tient dans le creux d'une main, on dirait que le cœur a le goût de se jeter dans le vide.

« Lâche pas, le grand, t'es capable de les battre, les Anglais. »

Pour dédramatiser son existence de cloporte qui ne doit pas être rigolote tous les jours, Robert fait des blagues comme d'autres font du psoriasis ou de la pourlèche au coin des lèvres : il est infecté depuis si longtemps qu'il ne voit plus le mal.

« Tu vas voir, qu'il m'a dit en m'installant comme un pantin devant la plaque sensible. Ça, c'est des belles grosses machines remplies de regards de femmes qui transpercent tous les secrets jusqu'à l'os. T'auras jamais été dévisagé comme ça de toute ta sainte vie ! »

J'ai répondu que je le sais, que je suis habitué. Une fois, j'avais bu une sorte de lait épaissi à la craie et un radiologiste avait filmé ma déglutition avec sa lanterne magique. Sur un écran je bougeais en squelette avec quasiment des bruits d'osselets en xylophone, et je voyais battre une membrane, mon cœur transparent qui avait l'air d'une méduse, ou d'un tout petit voile de mariée doucement gonflé par des soupirs, et moi j'avalais leur bouillie barytée et j'avais le goût de brailler tellement je trouvais ça épouvantable de me voir comme ça, petit paquet d'os désâmé et plus dépouillé que nu-fesses, plus écorché qu'une charogne.

« O.K., reste de même, bouge pus... »

Robert m'a placé artistiquement pour que la radiographie soit ressemblante, puis il a couru se cacher derrière son vitrage blindé où je le voyais qui me voyait.

« Attention, on fait un beau sourire ! »

J'ai souri pour rire quand le petit oiseau est sorti, mais ça venait pas vraiment du cœur, plutôt d'un peu plus bas, à droite, du foie mélancolique ; et la foudre invisible a surpris deux fantômes en moi, mes poumons qui m'inquiètent, qui ont peut-être une sale idée derrière la tête comme l'ombre d'un doute. Ça me déprime de penser qu'une tumeur d'un gramme contient un milliard de cellules malignes. Ça fait du monde à la messe et pas mal de bouches à nourrir ; ça fait surtout se demander si on fait le poids devant l'Éternel.

Je me suis reposé le reste de la journée, et dans l'après-midi j'ai entendu à la radio que des scientifiques analyseraient des prélèvements du saint suaire de Turin. J'ai pensé que c'est comme une biopsie du Christ deux mille ans plus tard, mais c'est risqué pour la religion : on va peut-être découvrir que Jésus est mort du cancer, comme tout le monde. Son étoile pourrait pâlir, et le livre des livres chuter au palmarès des best-sellers.

Le soir venu, vêtu de mon plus beau pyjama rayé, et joliment chaussé de mes pantoufles jaunes en Phentex tricotées par ma grand-mère Langlois, je me suis rendu à mon rendez-vous en limousine, où j'ai bien vu que Marilou est à mon goût, qu'elle n'est pas *belle comme le jour*, mais mille fois plus belle que lui, et que si le jour était une feuille, Marilou serait un millefeuille. Elle est tellement belle que le pauvre petit jour ne lui arrive pas à la cheville. Toute beauté est un blasphème, paraît-il, enfin c'est ce que racontent les hommes qui détestent la vie, alors il faut blasphémer comme des damnés, du fond de la terre jusqu'au sommet des cieux, et je blasphème à en perdre haleine, à en perdre la vue aux pieds de Marilou, ô ma p'tite Rilou qui ressemble à une Sauvagesse avec ses pommettes mongoles, ses yeux sombres en avelines et ses longs cheveux si noirs qu'ils virent au bleu nuit dans la lumière. Je songeais aux Têtes-de-Boule, aux Flancs-de-Chien ou aux Cheyennes qui sont des tribus qui me font rêver, mais c'est du sang d'Abénaquis qui coule en elle, et du sang proche, du sang riche de grand-mère, ce qui explique son amour pour une tortue sacrée qu'elle garde à la maison, sa tortue Coquecigrue qu'elle a pêchée à l'épuisette dans les joncs de la rivière Saint-François, la tortue mythique des Abénaquis qui racle avec son ventre plat les horizons de la terre et qui moule la voûte des cieux avec sa carapace bombée. On en apprend tous les jours et c'est ce que j'aime. Hélas, le bon sang abénaquis a tourné en eau de céleri dans les veines de Marilou, ce qui n'est pas un gage de longévité, et puis elle a souvent mal au cœur, alors ce soir-là je ne l'ai pas dérangée longtemps. Mais elle m'a fait promettre de revenir la voir un autre tantôt.

Je suis reparti avec une sorte de gâteau de poèmes feuilletés sur les genoux, des poèmes que j'ai lus le soir même et qui m'ont eu d'aplomb. Ça m'a ouvert les paupières sur son univers qui englobe le mien, car Marilou a beau avoir juste quinze ans, elle écrit déjà des choses qui me bouleversent et me surpassent, comme ce poème qui parle du repos de l'esprit, du soulagement égoïste d'aller mourir avant ceux qu'on aime, et je l'ai glissé sous mon oreiller pour écouter toute la nuit la voix éternelle qui monte de cette page comme un secret murmuré dans mon oreille.

Le lendemain, j'ai osé regarder Marilou dans les yeux pour lui dire : « Tu écris des poèmes mille fois meilleurs que moi. » Elle a rougi, comme exaucée, et je me suis excusé d'avoir un cœur qui bat fort pour elle.

Punaisé au mur près de mon lit, un autre poème de Marilou parle des papillons qui meurent dans un ruisseau et qui sont des espoirs emportés avec les feuilles mortes, tous les espoirs d'une vie heureuse qu'on voit disparaître dans les tourbillons d'un malheur imprévu. C'est tellement bien senti qu'on sait que c'est vécu jusqu'à la moelle. Les infirmières le lisent en passant, mais savent pas très bien quoi en dire ni peut-être même quoi en penser, vu que c'est un poème tragique qui vous arrache de vous-même pour vous jeter tout cru dans le monde invisible des douleurs et des tourments.

Une fois, Marilou m'a dit :

« J'ai un bon truc pour jamais me tromper : je ferme les yeux et je laisse courir mon esprit où ça lui chante. Je deviens un pré fleuri où mon esprit est le vent. »

C'est fleur bleue, c'est sûr, mais c'est sincère et ça vaut cher.

Une autre fois, Marilou m'a confié que son père est alcoolique, mais qu'elle ne voit pas le problème.

« Quand il a bu, mon père est gentil comme tout, il est drôle et affectueux, pas vulgaire pantoute et même un peu poète, et je pense qu'il est heureux, mais tout le monde fait des histoires, son patron, nos voisins, ma mère, la famille, mais moi je veux pas que mon père change, parce qu'à jeun il est déprimé et il fait pitié, et je veux pas qu'il arrête de boire. »

Le soir, avant de m'endormir, je pense à Marilou et aux vérités qui jaillissent de ses profondeurs et viennent battre contre les portes de sa bouche. C'est pas croyable, mais on dirait que le soleil me parle dans le blanc des yeux.

Entre sa vie et ses amours,
elle choisit de perdre
sa vie.

★

J'ai téléphoné chez nous et ma mère s'en vient avec ma grand-mère Langlois, la mère de mon père, l'épouse de mon grand-père au cœur explosé que j'ai jamais connu. Mais je les attends pas avant une heure ou deux, vu que ma mère doit aller chercher ma grand-mère à Sainte-Rose.

Pour m'occuper la tête pendant que le sablier se vide, je décide d'écrire ma lettre du purgatoire pour ma grand-mère Langlois. Oui, une lettre du purgatoire. C'est un projet secret que je nourris et qui va faire son effet en temps et lieu. Dès que j'ai un peu de temps devant moi et que je me sens pas trop mal, j'écris en cachette une lettre à chaque personne que j'aime, et, quand j'aurai fini, je remettrai tout le paquet ficelé à un ami, sans doute à mon petit saint Louis s'il continue d'aller si bien, ou peut-être à ma petite sainte Marilou si elle sort vivante de ses sables mouvants, et lui ou elle devra poster toutes ces lettres un an après ma mort, à la date anniversaire de l'événement, et ce sera comme des nouvelles de moi qui arriveront tout droit du ciel. J'en ai déjà écrit six, une chacun à mes parents, à ma sœur, à mon frère et à mes grands-parents Baillargeon, et, aujourd'hui, c'est ma grand-mère Langlois qui coule par ma main et se répand sur la feuille.

Chère grand-maman Émilia,

J'espère que tu vas bien et que ton arthrite ne te tord pas trop les doigts. Si jamais la douleur devenait insupportable, je te conseillerais de te faire piquer par une guêpe tous les matins : il paraît que le venin soulage l'arthrite, oui, c'est un truc que j'ai appris quand j'étais à l'hôpital.

Ici, au purgatoire, je pense à toi tous les jours (savais-tu que je porte toujours tes pantoufles de Phentex ?), mais c'est une façon de parler, vu qu'ici il n'y a ni jour ni nuit, rien qu'une espèce d'éternité qui passe vite. Te rappelles-tu l'argent que tu donnais à l'évêché pour les âmes du purgatoire ? Eh bien ç'a servi à refaire toute la décoration et même le toit qui coulait, et puis on parle d'agrandir en prévision d'une troisième guerre mondiale ou d'une épidémie. C'est plus moderne qu'avant, le purgatoire, mais on est bien, et le plancher est toujours chaud à cause de l'enfer juste au-dessous, mais le bruit me dérange un peu, étant donné qu'il y a toujours des fêtes endiablées dans la cave.

Ça fait déjà une année terrestre que je vous ai quittés pour le purgatoire, où je me suis fait des amis, car il y a beaucoup de jeunes ici, plein d'enfants du tiers-monde. Mon meilleur copain vient du Bangladesh où il était un athlète olympique, un champion du triple saut (tous les jours, il sautait le déjeuner, le dîner et le souper). Heureusement, il est enfin délivré du supplice de la faim, vu qu'ici on vit de nourritures spirituelles, ce qui est bien pratique. Pas de cuisine à faire, pas de vaisselle, pas de trouble. Et puisque j'ai été sage comme une image et qu'on m'a bien purgé de toutes les saloperies que j'avais rapportées de ma vie d'homme sale, je sors d'ici demain, et j'ai vu grand-papa Langlois, par la fenêtre, qui m'attend pour me faire visiter le paradis. Ça m'a donné un choc, étant donné que je l'avais jamais vu ailleurs que sur des photos, grand-papa. J'ai ri : il est plus petit que dans mon imagination, mais il a l'air en forme avec ses joues rouges et ses yeux brillants. Ce que j'ai trouvé le plus étrange ici, au début, c'est de vivre sans entendre battre mon cœur. Ça fait drôle, on n'est pas habitué à ça. On pense que quelque chose va mal, on s'inquiète, on panique, et puis les plus vieux nous rassurent, nous expliquent que c'est normal et on se calme, on respire par le nez. Mais, même si on n'a plus de cœur, on peut quand même aimer, et j'ai d'ailleurs rencontré une fille, une belle noyée qui…

Deux images tout à coup franchissent la porte et ces images sont en vie : c'est ma mère et ma grand-mère Langlois ! Les yeux me sortent du crâne et ça me coupe le souffle, mais j'ai le réflexe de dissimuler au plus vite mes affaires sous mon oreiller.

« Allô, mon loup, comment ça va ? »

Ça va comme je me pousse, cahin-caha, mais je dis que ça va pas pire. J'embrasse ma grand-mère et ma mère, qui n'ont rien vu de mon manège. Je suis encore un peu pétrifié d'avoir été surpris en plein purgatoire, mais je replace mes yeux, secoue mes puces et reviens au monde.

« Tiens, mon loup, de la réglisse et du chocolat. »

C'est de la bonne réglisse en plus, toute molle, aux cerises, avec une Kit Kat qui fait mes délices.

Grand-maman, tu es si fine que je me demande si je suis assez fin avec toi, et puis ça fait si longtemps que je t'ai pas vue que j'en ai oublié le jour et l'heure et quasiment le bon goût, mais tu es là et pour l'instant tu es mon présent. Tu es l'heure qu'il est, tu es le jour qu'on est, et maman et toi êtes la seconde de vie qui passe et que je voudrais retenir pour l'éternité. Vous êtes le sang qui court dans mes artères, mes battements de cœur qui comptent à reculons en louchant sur la fin du monde. Tu es belle, grand-maman, tout endimanchée même si c'est mardi, haute comme trois crêpes avec tes frisettes en virgules, tes yeux olive qui brillent, avec ta broche au corsage et tes encensoirs miniatures qui se balancent au lobe de tes oreilles. Tu sens bon le parfum ancien, l'essence de je ne sais trop quelle vieille fleur, la jonquille peut-être, ou la giroflée, le dahlia, et tu m'as toujours fait penser à une sainte avec ta dévotion qui n'en finit plus et ta confiance dans l'invisible qui se rend toujours jusqu'à demain, à saute-mouton sur les nuits.

Oh ! grand-maman, j'aurais aimé ça, croire purement comme toi, et grandir dans la foi ; croire dans un élan sans fin jusque dans le bleu de l'au-delà, sans craindre le vide et l'inconnu : mourir aurait été tellement plus facile, mais le clou n'a jamais voulu rentrer dans ma grosse tête de cochon et je sais pas pourquoi, peut-être à cause de ce maudit front que j'ai tout le tour de la tête, mais qui m'aura seulement servi à me heurter à toutes les difficultés, à tomber dans tous les pièges. Malgré tous mes efforts de bonne volonté, j'ai jamais ressenti la bonté des anges, ni l'amour du Christ, ni la miséricorde de

Dieu, et je tiens à m'en excuser à tes genoux, mais j'éprouve douloureusement la solitude de la nuit et le désespoir des âmes perdues.

Pour moi, grand-maman, ton bon Dieu est un pauvre malade mental qui s'est inventé un fils condamné à moisir dans l'impuissance de l'enfance, à renaître éternellement dans la paille dorée qu'on prend pour des rayons d'espoir. Le pire, c'est que ce Dieu orgueilleux aurait pourtant eu la force surhumaine de vivre sans être aimé, et il aurait pu rendre aux hommes leur vraie liberté en les empêchant de naître, de souffrir et de compter les années, mais ce désœuvré n'a jamais rien trouvé de mieux à faire que de créer des êtres pour les mettre à l'épreuve en les suppliciant, pour ensuite ramener à lui des débris martyrisés. Un Dieu vraiment bon, vraiment tout-puissant, aurait eu le courage d'engendrer un homme qui ne lui aurait pas du tout ressemblé, mais notre bon Dieu a voulu tout faire à sa tête, sans chercher à savoir ce qu'on voulait. On voit bien qu'il ne nous connaît pas, qu'il n'a jamais été un homme seul et malheureux. Mais c'est rien, c'est rien, ça doit être moi qui comprends rien comme à l'accoutumée, et puis c'est toi que j'aime par-dessus tout, grand-maman Émilia, je t'aime par-dessus Dieu qui n'a aucune importance, et je te remercie d'être la seule qui comprend ma passion, qui demande toujours à lire mes poèmes même si peut-être tu les trouves insignifiants. Les autres s'en fichent et tu me plains parce que, dis-tu, je suis né dans un pays d'arriérés qui se contentent de peu. Tu dois le connaître mieux que moi, le pays, depuis le temps que tu vas à la messe dedans, et j'ose pas contredire ton savoir ancien, mais ça m'a jamais empêché de semer des ô et des ah à pleines pages et d'écrire « encor » sans son *e* muet. J'ai jamais attendu après personne pour me prendre pour un autre, je suis capable tout seul.

« C'est donc bien beau, ce poème-là sur le mur… C'est qui, ça, Marilou D. ?

– Une fille que je connais. »

J'ai pas osé dire que c'est une Abénaquise qui a le génocide dans le sang et qui se bourre de busulfan jusqu'aux yeux.

« *Cette eau glacée qui… pressée d'aller mourir… emporte avec les feuilles… l'espoir de rajeunir…* Mon doux que c'est triste… »

Là-dessus, on est interrompus par des cris dans le corridor, par toute une agitation du diable qui nous fait tourner la tête. Des amis se précipitent aux nouvelles et en reviennent avec un scandale brûlant dans la bouche. On apprend qu'un garçon de la chambre 16 a sonné les infirmières pour leur montrer son pénis tout crochu et boursouflé, comme sur le point de se détacher du bas-ventre par putréfaction. Panique sur l'étage, on a appelé d'urgence un médecin, et, là, coup de théâtre : le médecin découvre que le garçon avait glissé du pop-corn sous son prépuce, trois gros grains de Cracker Jack au caramel. Ciel ! On entend dire tout autour que ça se fait pas, ce genre de farce de mauvais goût, « par respect pour les vrais malades », et le médecin et les infirmières ont l'air indignés, comme ma mère et ma grand-mère, et les seuls qui rient de bon cœur c'est nous autres, les vrais malades.

Parlant de prépuce, j'ai lu quelque part qu'une vieille sainte, Catherine de quelque chose, disait porter au doigt la bague du Christ, l'anneau de chair de la circoncision, et qu'aujourd'hui on peut contempler et vénérer le prépuce du petit Jésus dans une église d'Europe, ou encore des gouttes de lait de la Sainte Vierge, des croûtes de lépreux, des morceaux de la Croix, cinq ou six couronnes d'épines, des poils de barbe de Noé, un doigt de Jean Baptiste à Saint-Jean-du-Doigt, les pièces de monnaie qu'on avait enfoncées dans les yeux de Jésus à sa descente de croix, et même un clou de la crucifixion dans la couronne des rois d'Italie. Moi, si j'avais eu la chance de vivre, j'aurais fait de grands voyages pour visiter toutes ces églises extraordinaires qui ne disent absolument rien sur Dieu, mais tout sur les hommes, ce qui est autrement plus renversant.

« Tiens, mon loup, j'espère que ça va te plaire. »

J'ai les yeux exorbités devant une générosité que je n'attendais pas et qui me fait un plaisir inouï, qui m'éberlue en me tombant dans les mains. Ma grand-mère Émilia m'offre un cadeau sans pareil, un beau dictionnaire bien pesant et bien bourré d'académismes pour m'aider à écrire des poèmes sans fautes. Pour la remercier dans la mesure de mes modestes moyens, je promets de lui dédicacer mon œuvre si jamais je la finis à temps pour mes obsèques.

★

Cet après-midi, je me suis hissé dans ma limousine chromée pour aller visiter Louis à l'heure de la collation.

« Tu sens donc bien drôle, toi, aujourd'hui. On dirait de l'eucalyptus ou de la térébenthine.

– C'est qu'on me frictionne à l'huile camphrée, qu'il m'a répondu, parce que c'est un tonique pour le cœur.

– Eh ben… Du tonique, j'ai toujours cru que ça se buvait avec du gin… »

Ensuite, d'un commérage à l'autre, Louis m'a appris que le désormais célèbre garçon aux Cracker

Jacks a un cancer des ganglions, mais qu'il fait des blagues comme s'il avait juste un rhume des foins – mais on sait pas si c'est de l'héroïsme ou de l'inconscience.

Le blanc-manger et les biscuits au beurre arrivés, on a collationné ensemble en parlant des choses de la vie, pareils à deux philosophes de quatre sous sur un coin de table à manivelle.

Tout à coup, profitant de l'intimité, Louis a décidé de se dépoitrailler et ça m'a fait un effet bœuf. Je suis resté longtemps les yeux tout écarquillés avec ma moustache de lait, devant le haut de pyjama de Louis bien ouvert sur la fabuleuse couture violette et boursouflée qui lui sabre la poitrine, de la gorge à l'estomac.

« Ça parle au diable ! que j'ai lancé dans mon admiration, tu ressembles à un trucage d'Hollywood ! »

C'est beau de voir ça et franchement ça lui va bien. Mon petit doigt me dit qu'il va en impressionner, des filles, avec sa cicatrice herculéenne. Moi, avec ma modeste déchirure iliaque, je fais pitié à côté de son immense fermeture à glissière qui a l'air de veiller à elle seule sur tout l'immense mystère du Sacré-Cœur transpercé d'épines, mais attention : j'ai pas dit mon dernier mot.

Quand Louis s'est reboutonné, je lui ai demandé s'il avait eu peur de claquer sur la table de billard et il a répondu non dans un petit haussement d'épaules qui inspire le respect.

« Faut pas s'en faire avec ça, qu'il m'a dit. Il n'y a que deux possibilités : ou il y a quelque chose, ou il y a rien. S'il y a quelque chose, c'est tant mieux, parce que j'ai jamais tué personne et ce sera une sorte de paradis, j'imagine. Mais s'il y a rien, pfff ! je serai même pas là pour voir ça… »

J'ai souri, à cause du pfff! qui montre qu'on peut mourir le nez dans les étoiles, comme si ce malheur ne nous concernait pas, ce qui doit abasourdir les poltrons et réjouir le cœur des autres, et j'ai décidé de garder ces bonnes paroles de Louis au réfrigérateur pour peut-être les expirer au bout de mon souffle, dans un dernier râle, au crépuscule de l'existence.

Est-ce que j'ai dit que Louis est un beau blond? Oui, un beau blond qui fait se pâmer les filles, le sacripant. Oh, je suis pas jaloux : simplement je constate, c'est tout, mais… ça me fait quand même un petit pincement, j'avoue. On est surtout beau quand on le sait pas, c'est entendu, et quand on le sait on est déjà beaucoup moins beau, mais Louis se connaît mal, et cette faiblesse le rend invincible.

Si l'Éternel m'avait permis de choisir un être à habiter, j'aurais bien aimé vivre sous les traits de mon ami Louis, revêtir sa peau comme une mante, essayer son visage comme une cagoule et ses cheveux blonds comme une perruque, éprouver sa voix et son ouïe, toucher les choses avec ses doigts et regarder le monde avec ses yeux bleus. Les filles le chouchoutent, le p'tit verrat; il pourrait faire des pieds de nez aux milliardaires laids, mais c'est pas son genre : il a une dignité qui l'auréole d'un arc-en-ciel. Et puis il est plus intelligent que moi, faut dire. Une fois, avec juste un crayon et du papier, il m'a expliqué comment Ératosthène, un mathématicien grec d'avant Jésus-Christ, avait mesuré la circonférence de la Terre grâce au soleil qui éclairait le fond d'un puits en Égypte et à des équations géométriques, et, franchement, ça m'en avait bouché toute une surface.

Louis dit qu'il ne sait pas ce qu'il va faire plus tard; il hésite entre paléontologue, musicien, et apiculteur comme son grand-père. Oui, il s'intéresse aux stégosaures, aux ptérodactyles et aux baluchitériums ; il paraît qu'il joue des caprices et des bourrées ; et puis il connaît la gelée royale et la danse prodigieuse des abeilles qui exécutent des figures savantes pour indiquer aux autres butineuses la direction des fleurs.

Une fois, Louis m'a raconté que les croyants, qui souvent détestent la science qui est venue démolir leurs histoires à coucher dehors, comme la fable d'Adam et Ève, affirment que c'est le bon Dieu lui-même qui a caché des fossiles dans la terre, pour éprouver la foi des géologues. Ffff ! Jamais rien entendu d'aussi cornichon. Mais ça m'a donné le goût de parler un peu évolution.

« Toi qui connais les fossiles, que j'ai dit, je suis sûr que tu peux répondre à une question que je me pose depuis toujours.

– Quoi donc ?

– Ben… On dit que l'homme descend du singe, mais, si c'est vrai, pourquoi est-ce qu'il y a encore des singes ?

– Ah, ça, c'est parce que l'homme descend pas du singe, mais l'homme et le singe descendent tous les deux d'un ancêtre commun disparu. Les singes et nous, on est plutôt des cousins qui auraient le même arrière-grand-père. »

Je savais bien qu'il savait ça, le p'tit génie. Il sait tout, lui, sauf ce qu'il deviendra, mais le grand rêve fou de sa vie aurait été de conduire des caravanes sur la route de la soie, entre la Chine et la Turquie, pour faire le trafic de l'encens, des orchidées himalayennes, des rubis du Karakorum et des vésicules de tigre, mais il y a un os : c'est un métier qui n'existe plus depuis sept cents ans. Louis est né trop tard pour les caravanes, mais juste à temps pour autre chose qu'il ignore encore, ce qui fait qu'il aura une vie bien remplie et qu'un jour il deviendra vieux et mourra du cœur; et beaucoup de gens pleureront à ses funérailles parce que ce sera une perte majeure, comme quand des livres brûlent ou que des baleines s'éteignent. Moi, j'aime raconter que je suis son ami de toujours, parce que ça me donne une importance artificielle que je n'ai pas dans la vie de tous les jours.

Les baleines s'éteignent,
mais leur huile éclaire la nuit
et la chambre des enfants
qui lisent de beaux livres
racontant
le chant perdu des baleines.

La chambre de Louis sent bon la guérison et l'espoir, et on s'y glisse comme dans une fleur de mai, une clochette de muguet, le sourire aux lèvres, tandis que ma chambre empeste la souffrance et le désenchantement, et personne n'aime mettre le pied dans un tel chou pourri avec une tête d'enterrement. On dirait que l'air entre mes quatre murs ne pétille pas comme celui de la chambre de mon ami, là-bas, que la lumière d'ici n'a pas le même éclat dans sa chevelure, et puis ce ne sont pas les mêmes mots que les objets entendent.

Je pense que guérir est un art et qu'il faut avoir la vocation, avoir été touché par la baguette magique d'une fée, mais moi, je ne suis pas doué pour ce genre de miracle à grand déploiement. On dirait que je suis défaitiste et résigné, comme mon père, et que mon vrai destin a toujours été caché dans ces carences; que j'avais jamais vu avant aujourd'hui le jeune homme que je suis, car c'est dans l'épreuve qu'on vient vraiment au monde. Je comprends enfin, à la lumière de ce ciel qui s'est effondré sur moi, que je n'ai rien d'exceptionnel et que j'étais vaincu d'avance. La seule chance qui me reste serait de coiffer la maladie au fil d'arrivée pour lui mourir de vieillesse sous le nez, mais faut que je me grouille si je veux devenir vieux à temps. Va falloir que je fasse ça vite et que je tourne les coins rond, que je brûle les étapes. Attachons nos tuques avec de la broche : ça risque bien d'être une sorte de descente aux enfers.

★

Par la fenêtre sale de ma garçonnière, quand je me redresse dans mon lit, je peux voir des rues de la ville qui s'en vont finir leurs jours dans le Saint-Laurent tout gris qui coule au loin sous son ciel de crasse.

Parfois, l'après-midi, nous jouons à être un navire en perdition sur le fleuve pour oublier qu'on est en perdition sur la terre : ça change le mal de place. Hier, nous étions encore cinq mousses à bord, mais, ce matin, nous ne sommes plus que quatre : la fatalité nous a enlevé Benoît, ce grand frisé qui était avec nous depuis quelques jours à peine, et on sait pas trop si elle va nous le rendre un jour, ni dans quel état.

Le jour de son arrivée, Benoît n'avait pas l'air trop malade et on se demandait même un peu ce qu'il fabriquait ici, et lui-même semblait flotter comme un nuage, mais, hier soir, on a tout compris quand il a vomi d'un coup ses trois repas de la journée dans le corridor. Le pauvre garçon, paniqué, ne savait plus où donner de la tête et le vomi jaillissait sans arrêt, comme de la lave d'un volcan, jusqu'à en éclabousser les murs. Les infirmières lui ont crié d'entrer dans une chambre, n'importe laquelle, pour aller y vider ses entrailles dans les toilettes, et Benoît a poussé la porte de celle de la petite Magdalena, la Roumaine que les Roumains ont expédiée ici avec un certificat frauduleux qui niait les hépatites.

Malheureusement, les choses se sont gâtées : vu que Benoît ne digérait rien, on lui a injecté un soluté dans le bras gauche et il a passé la nuit à gémir avant de tomber à la mer, dans le coma, et ce matin son lit en bataille est vide comme un vaisseau fantôme. Si Benoît reste trop longtemps dans ces profondeurs du monde, notre amitié naissante pourrait en souffrir, parce que je risque de partir avant lui et nous ne nous reverrions jamais plus.

Durant sa première nuit parmi nous, Benoît n'avait pas dormi à cause de l'énervement, et, lui et moi, nous avions profité de nos insomnies pour fraterniser à voix basse d'un lit à l'autre.

« Pourquoi est-ce que tu t'es ramassé ici, toi ?

– J'ai attrapé un cancer de l'os iliaque et ç'a commencé comme un hamster têtu et imbécile, mais c'est en train de se changer en pieuvre. La nuit, les infirmières m'attachent à mon lit parce que si je tombais à terre durant mon sommeil je me briserais en miettes comme un bibelot, ou bien j'aurais des hémorragies à cause de la cyclophosphamide. Je suis tellement cassant que mon médecin ma surnommé son garçon de porcelaine. Il est correct, mon médecin personnel ; pas jasant jasant, mais pas du tout menteur et j'aime ça comme ça. Des hommes comme lui, on les appelle des oncologues, et c'est drôle, mais moi ce mot-là me fait penser à du caramel mou.

– Est-ce que ça fait mal d'être mangé par en dedans ?

– Oui, mais je fais semblant que non, je ravale tout. Tu comprends, on n'est plus des bébés, on ne peut plus tout régurgiter.

– Est-ce que c'est contagieux ?

– Non, n'aie pas peur, c'est une maladie privée. C'est lié à la personnalité, c'est dans la moelle. De toute façon, tu es déjà assez malade, toi, non ? Le bon Dieu peut quand même pas t'envoyer deux maladies mortelles !

– Je sais pas si c'est une maladie, mais je pisse du sang.

– Ah fuck ! Et sais-tu si tu vas tout le pisser, jusqu'à mourir au bout de ta pisse ?

– Je sais pas, mais je pense pas. Ils ont dit à ma mère que ça me prenait deux pyjamas. C'est sûrement parce que je vais vivre, non ?... Sinon, pourquoi deux pyjamas ? »

J'avais rien dit pour ne pas le démoraliser, mais j'avais déjà vu partir un paquet de jeunes pour le cimetière avec tout leur bataclan dans un sac : pyjamas, transistor, bandes dessinées, jeux, revues, crayons de couleur... Des vrais petits pharaons.

Je rêvais d'être la Grande Pyramide,
invincible et éternel,
mais je suis un jardin de porcelaine
sous une pluie de météorites.

Le lendemain, j'avais emmené Benoît dans la chambre de Marilou pour jouer au fameux jeu des meilleures dernières paroles. Notre amie filait moyennement bien, mais elle voulait quand même s'amuser avec nous, parce que mieux vaut prévenir.

On faisait les fous avec Benoît, on parlait avec des mots longs comme la jambe, des paroles de philosophes qui pensent tout savoir mais qui n'ont même pas failli mourir un jour. On disait l'essence de la vie c'est ceci, l'essence de la vie c'est cela, et patati et patata, puis on pouffait de rire comme des gamins. On avait tellement d'imagination qu'on a décidé d'organiser une compétition, mais une vraie de vraie, avec papiers et crayons : le premier championnat mondial des dernières paroles. À la fin, grâce à sa trouvaille, c'est la belle Marilou qui a remporté la palme.

L'essence de la vie, c'est la vanille.

Ô ma Rilou des jardins de ma fin du monde, j'ai changé d'idée : j'ai fini par vouloir être aimé, mais de toi seulement. C'est que j'ai un faible pour toi, Marilou, et même beaucoup plus : j'ai une douleur humaine, et je donnerais ma vie pour toi si j'en avais une. Souvent, je m'imagine que tu es ma femme et la mélancolie me troue le cœur, comme le premier cœur de Louis, sauf que moi, je sais bien que je ne mourrai pas assez vieux pour connaître la guérison et l'amour. On peut pas tout avoir.

★

Plus tard apparaît magiquement ma mère, alors que j'observe en silence l'infirmière venue vider le tiroir et refaire le lit abandonné de Benoît parti dans le coma.

Oh, maman, non tu me déranges pas, tu me déranges jamais. Je faisais rien : je pensais. Je lui dis que je suis fatigué et que j'aurais le goût de n'aimer personne aujourd'hui, que je dirais à n'importe qui d'autre de revenir une autre fois, mais qu'avec elle c'est pas pareil. Je viens d'elle tout droit du ciel, comme par un tunnel en elle, et elle a sur moi tous les droits ancestraux, mais, ce que j'aime, c'est qu'elle n'ambitionne jamais sur le pain bénit.

« Bouge pas trop d'abord, mon trésor, et repose-toi. Je vais m'asseoir pis je vais lire un peu, j'ai apporté un livre. »

Elle me serre contre elle, mais pas trop, pour ne pas me pulvériser. Sa bouche sent le fond de cendrier, et moi je dois sentir la fin.

« Comment vont Charlotte et Bruno ?

– Ils vont bien… ils veulent venir te voir… samedi… »

Elle achève sa phrase de peine et de misère à cause d'un morceau de vie qui passe de travers dans le cornet, et tout à coup c'est étrange, mais je songe à son ventre où j'ai passé neuf mois à l'envers dans l'eau salée comme au fond de l'océan, peut-être un peu comme dans le coma, et je n'arrive pas à y croire. Oh ! maman, s'il te plaît, maman, dis-moi que ma vie est un cauchemar et que je vais bientôt me réveiller, ou alors tue-moi de tes propres mains, et ensuite va tuer Charlotte et Bruno pendant qu'il en est encore temps, pendant qu'ils sont encore tout étourdis d'innocence et drogués d'enfance, mais je t'en supplie, n'attends pas qu'ils naissent à la connaissance du monde et qu'il soit trop tard.

Frérot et sœurette, je pense à vous souvent quand je ne dors pas, à minuit, et je vous aperçois près de moi dans vos habits de nuit. Charlotte, ma p'tite gueuse qui, au lieu de lasagne gratinée, son mets favori, parlait toujours de lasagne égratignée ; et Bruno, mon p'tit venimeux qui a longtemps pris son pénis pour une épice. Je vous revois patauger dans la baie Missisquoi, pêchant des ménés avec une passoire; je vous revois l'hiver en habit de ski-doo, le foulard givré à la hauteur de vos petites bouches, suçant les grumeaux de glace au pouce de vos mitaines. Je vous revois quand il manquait des dents à vos sourires troués qui vous faisaient zozoter. Charlotte, mon enrhumée de toujours, je reverrai éternellement tes moues de petite comtesse écœurée, et la morve d'or de tes nez archipleins. Et je ne pourrai oublier mon Bruno au cœur tendre qui voulait consoler jusqu'aux saules pleureurs, qui décollait de l'asphalte, avec une pelle de jardin, les porcs-épics écrabouillés par les autos, pour aller les enterrer dans un cimetière secret au bord de la rivière aux Brochets; mon Bruno aux prunelles de chocolat, qui laissait toujours une place et une moitié d'oreiller à son ange gardien dans son lit.

Mais le plus beau souvenir que j'emporterai de vous est celui d'un soir de juillet, au chalet. C'était la veille de l'anniversaire de papa, qui tombait un dimanche cette année-là, ce qui tombait bien, puisque papa nous rejoignait au chalet le dimanche matin seulement. Il était minuit et le souffle du vent jouait dans les feuilles et remuait doucement les rideaux à travers les moustiquaires. Vous pensiez que maman et moi dormions, mais j'avais l'œil ouvert dans l'ombre et je vous ai entendus vous lever sur la pointe des pieds. Vous vous chuchotiez des secrets, puis vous êtes sortis dehors et je vous ai suivis en silence dans le chant des grillons. C'est alors qu'au bout du chemin de cailloux je vous ai vus escalader notre grand peuplier, si grand que l'automne sa pointe grattait le ventre des oiseaux migrateurs (c'est le mensonge que je vous avais offert pour vous éblouir), et soudain j'ai compris quel rêve vous poursuiviez : vous vouliez cueillir la lune, mais pour vrai, pour l'offrir à papa pour son anniversaire, cette lune qui semblait accrochée comme un nid de guêpes dans les hautes branches du peuplier, et je vous avais laissés grimper jusqu'au sommet, dans les feuilles argentées par la lune. Au bout d'un moment, vous êtes redescendus des hauteurs en pleurant, sans la lune, et quand vos pieds ont touché terre, vous aviez quitté une image du monde pour entrer dans une image nouvelle, où rien ne serait plus comme avant, et pourtant c'était une belle nuit d'été comme il y en a tant, près d'un vieux chalet sous les arbres. Depuis que ce souvenir m'est revenu, tout s'éloigne de moi comme si j'effrayais la vie, mais je me bats pour retenir dans ma bouche le goût des choses.

Vous avez grandi depuis ce lointain soir de juillet et vous n'êtes plus des bébés, c'est entendu, et je dois m'habituer à vous voir autrement, mais chaque journée qui passe est une blessure qui s'ajoute aux autres et me fait songer à mes anciennes saisons, que je revois toutes et dont je voudrais tant retrouver l'insouciance miraculeuse. Je m'en souviens comme si c'était hier : le printemps est un enfant qui rêve et se croit un nuage, c'est une faveur; et l'automne, avec ses heures de mélancolie, ressemble à nos souvenirs; et l'été est une pensée émue qu'on a pour le monde, une lumière qui nous prend et nous élève; mais seul l'hiver a un poids, l'hiver est épouvantablement lourd et nous écrase un peu plus chaque année, comme s'il voulait nous tuer.

Maman, j'ai peur de mourir en plein hiver et j'espère me rendre jusqu'au printemps, et au printemps je voudrai me traîner jusqu'à l'été, et je pense que finalement je suis moins brave que je pensais. Je veux et je veux pas, je comprends tout et je comprends rien, je suis complètement perdu. Je sais que je pourrais dire toutes les méchancetés qui me passent par la tête et faire pleurer ma mère, que je serais tout pardonné d'avance, et je sais qu'après ma mort elle m'embellirait et que nous serions heureux quand même dans l'éternité, mais je me tue à étouffer en moi toute cette fureur et je m'empêche de toutes mes forces de faire à ma mère ce mal que j'aurais tellement besoin de faire à quelqu'un pour libérer toute la violence et la rancœur qui grondent dans mes pensées et cherchent leur vengeance.

La vie m'enseigne qu'il est infiniment plus facile de faire le mal que le bien, mais j'ai juré d'être jusqu'à la fin un homme digne de ce nom, ce qui me vaut d'être un trésor pour ma mère. Mais j'ai peur en silence et je dors mal la nuit, et le matin je voudrais enfin m'endormir pour fuir la lumière qui m'angoisse, mais on est en pays communiste ici, c'est tout le monde debout au lever du store, tout le monde qui soupe à six heures tapant même si personne n'a faim, tout le monde qui se couche quand les télés s'éteignent, et on suit bêtement la course du soleil, comme un troupeau d'animaux.

Un jour, j'en ai parlé à ma psychothérapeute dans l'espoir qu'elle servirait enfin à quelque chose. Je lui ai expliqué que les gens ont peur du noir, mais qu'ils ne devraient pas, parce que c'est la lumière qui est la source et la cause de tout le mal connu. S'il n'y avait que la nuit sur la Terre, les gens seraient des aveugles égarés qui craindraient de se perdre encore plus profondément dans les ténèbres, mais ils ne sauraient pas qu'ils ne se ressemblent pas, car ils ne toucheraient sans cesse que des pareils à eux-mêmes, des êtres avec des mains, des épaules, un visage. Sans la lumière, les gens se prendraient par le bras et avanceraient lentement, à tâtons, ensemble d'un même pas hésitant, comme des frères; nul ne posséderait plus aucune certitude et il n'y aurait plus de croyances dans les têtes, mais, hélas, le soleil existe et les gens préfèrent croire les mensonges de la lumière qui les rendent si malheureux.

Maryse Bouthillier a beau dire qu'elle me comprend, j'ai un doute, peut-être parce qu'elle affirme ne rien pouvoir faire pour moi de ce côté-là, vu que c'est la nuit qu'on dort et le jour qu'on ouvre les yeux, qu'on ne peut pas mettre un hôpital sens dessus dessous pour un seul jeune homme qui voudrait vivre à l'envers du monde, et c'est dans cette brouille que notre fragile histoire d'amour a perdu ses premières plumes.

« Martin, Stéphane, Patrick... Ils me téléphonent quasiment tous les jours. Ils veulent absolument venir te visiter.

– Maman, je te l'ai dit cent fois. Je veux pus être vu.

– Mais c'est tes meilleurs amis ! »

Elle ne se rend pas compte que la dernière fois que je les ai vus, je les ai vus pour la dernière fois. C'est que je ne supporterais pas qu'ils me voient tel que je suis, pire que nu, pire que mort, pire que dévoré vif, comme ils ne m'ont jamais vu.

« Achale-moi pas avec ça, m'man... J'ai pas besoin d'être vu, ni d'être aimé ou consolé, et surtout pas par mes meilleurs amis. »

Je vois ma mère grimacer de tristesse, secouée par ma dureté de cœur, mais va falloir qu'elle s'habitue : je fais juste commencer mon achèvement et j'ai l'intention d'être plus dur que la vie.

Au bout d'un moment, elle finit par avouer qu'elle ne me comprend pas, mais, pauvre elle, je n'ai plus besoin d'être compris non plus.

«Je veux que mes amis se souviennent de moi comme d'un être vivant.»

Me voici tout à coup sans pitié pour ma mère, mais je n'ai plus le temps d'enfiler des gants blancs de princesse pour ne froisser personne : j'ai l'air de rien, mais je suis rendu ailleurs, sans me vanter, dans ma vérité qui sort toute nue du puits, ce qui écorche les oreilles et les sentiments jusqu'au sang.

Je suis peut-être salaud et déloyal, mais c'est moi, le mort : c'est moi qui décide de tout jusqu'au bout. C'est à mon tour de dicter mes trente-six volontés, et ceux qui sont pas contents ont juste à aller voler un cadavre à la morgue pour faire sur lui leurs expériences mystiques et leurs prières à la con. Moi, ça me tente pas de leur donner l'occasion de faire voir à la galerie combien ils sont sensibles. Qu'ils aillent attendre un accident au coin du boulevard s'ils veulent se donner en spectacle. Moi, j'ai fermé le théâtre pour de bon et j'ai avalé la clé.

Tout est noir, bonsoir. On se reverra à la saint-glinglin.

★

Un petit matin, ç'a été le grand matin pour Louis qui est retourné vivre dans le monde des vivants où il deviendra peut-être un chasseur de fossiles, un violoniste, ou un apiculteur à la campagne, comme son grand-père Élohim, Élohim Vézina. Mais qu'il pratique la paléontologie ou la musique, c'est pareil : c'est refaire des mondes disparus ; et s'il va dans le miel, il transformera des ouvrières en reines, ce qui revient à créer des mondes impossibles. Quoi que Louis fasse, sa vie sera une réussite éclatante, je le sens, et lorsque je l'ai vu s'engouffrer dans l'ascenseur avec ses parents, une chaleur a quitté ma vie et j'ai avalé de travers dans un courant d'air de ce grand petit matin. La dernière image : Louis est debout entre ses parents aux yeux embués, ses parents heureux d'enfin ramener leur fils à la maison où l'attend une montagne de cadeaux, et la lumière des néons brille dans les yeux de mon ami comme une foudre glacée, mon ami qui plonge son dernier regard traumatisé dans le mien.

Je me souviens d'avoir pensé : « Quand je mourrai, peut-être que ce sera l'univers, tout autour de moi, qui s'évanouira dans la nuit, et moi qui resterai tout seul comme une étoile sans ciel. »

Là-dessus, j'ai roulé lentement jusqu'à ma garçonnière où j'ai écouté de la musique à la radio.

Dans l'après-midi, pour me désennuyer, j'ai fait de la fièvre.

Je songe à un million de mystères,
du mercure sous la langue,
et je me demande :
si je croquais le thermomètre,
et si je buvais du mercurochrome,
verrais-je l'autre côté des mondes ?

J'aurais bien aimé continuer à écrire des poèmes cons, quitte à en faire un sot métier, pourquoi pas ? Il faut bien trouver une manière de se procurer son pain quotidien et de se faire aimer si on veut mourir vieux et entouré. Et puis, un jour, j'ai fait une découverte abracadabrante dans mon dictionnaire neuf : j'ai lu que, dans les années 1700, vivait à Vienne un poète italien qui s'appelait Métastase, incroyable mais vrai, Pietro Trapassi, dit Metastasio, ou Pierre Métastase, et, ce jour-là, j'ai décidé de me couronner de ce pseudonyme fou et je suis devenu le poète Métastase, le roi de l'hôpital, et je sais qu'avec un nom pareil j'aurais pu me gagner ma pitance et même plus, même une petite vie, et peut-être que Marilou aurait accepté d'épouser un poète, même un poète con, où est le mal? Elle aurait pu m'apprendre à devenir intelligent; j'aurais été meilleur poète et meilleur époux, et puis j'aurais fini par comprendre que la poésie est une entourloupette et j'aurais enfin cessé d'écrire. Ensuite, nous aurions pu avoir des enfants pas trop cons, mais qui se seraient crus plus cons que ça, comme tous les enfants. Je pense que j'aurais été un père bizarre, au pied punitif mais à la main secourable, un père à deux faces, comme la lune qui zèbre la nuit – au moins je l'avoue. Je ne me serais pas enchaîné au chevet de mes enfants et je ne leur aurais pas fait des tonnes de papouilles, c'est pas mon idéal de vie, mais j'aurais veillé secrètement sur eux du fond de mon silence, et, quand ils auraient eu trente ans, ils auraient tout compris et m'auraient enfin aimé. Je les aurais éduqués à la dure, soignés et cajolés en temps et lieu, lavés et nourris, mais surtout je leur aurais menti magnifiquement, les aurais bourrés de fables jusqu'à la luette; j'aurais épuisé comme personne des trésors de sournoiseries pour leur faire aimer le monde. C'est qu'il faut mentir aux enfants, sans cesse, mentir comme on respire, jour après jour, et même la nuit, quand ils rêvent, il faut leur couler de beaux mensonges à l'oreille pour les soûler, les bercer d'illusions dans un univers de sucre, de miel et de musique. Sinon, si on n'a pas ce grand courage, il faut tout de suite les étrangler avec le cordon ombilical, ou les noyer dans la baignoire, leur faire biberonner de la ciguë, les immoler dans un lit de flammes, au milieu de leurs poupées et de leurs jouets. Ainsi gorgés de mensonges, nos enfants auraient une nuit écrit des poèmes à leur tour, pour se donner l'illusion de n'être pas trop bêtes, puis ils auraient épousé quelqu'un de meilleur qu'eux qui leur aurait appris l'essentiel, de profondes vérités sur eux-mêmes, et ils auraient pu cesser d'écrire grâce à l'amour lumineux. Et le serpent se serait mangé la queue. Le verbe, le silence, le verbe, le silence, le verbe, le silence... Naître et mourir et naître et mourir, à l'infini. Les vies sont idiotes : elles ne savent que faire des boucles comme les comètes ou les yoyos, mais on n'a encore rien trouvé de mieux.

Je parle, je parle, et je ne rêve même plus. Est-ce que je suis désespéré ? Je pense que je suis sincère, tout simplement, et ça ne pardonne pas.

Les sages et les fous
n'ont pas la même vie,
mais ont-ils la même mort ?
Et pourquoi
cet étrange besoin
de se croire créé par un dieu ?
Quel mal y aurait-il
à être né de la pluie ?

Oui, je sais, il faut être très sincère pour vomir tant de pleurnicheries, mais j'aime mieux être sincère qu'hypocrite, parce que, les hypocrites, ils les apprennent par cœur, les pleurnicheries, et ils passent leur vie à ne pas les répéter pour avoir l'air intelligents, mais les hypocrites ne sont pas plus intelligents que les pleurnicheurs : ils sont seulement plus instruits.

★

C'est samedi, jour des paresseux mais fête de rien.

Dehors, il pleut à pleine fenêtre de la sale pluie de novembre, comme si on avait égorgé les nuages. Au ciel roulent des fumées monstrueuses, broyeuses d'oiseaux et de feuilles mortes arrachées aux arbres engourdis ; le vent embaume la fin des temps et je frissonne, et le bruit de la pluie me donne envie d'uriner à tout moment. Faut dire que je bois un gallon d'eau par jour, je suis obligé, pour que la cyclophosphamide ne me ruine pas les reins, ce qui me ferait pisser du sang, comme Benoît.

Parlant de sang, j'ai eu la surprise de voir apparaître le célèbre garçon aux Cracker Jacks dans ma chambre, hier. Il a entendu parler de mes poèmes par son infirmière préférée et voulait voir à quoi je ressemble. Il s'appelle Gaétan et n'a pas l'air con du tout. Franchement, on l'imagine mal en train de se fourrer du pop-corn sous le prépuce, mais c'est ce qui fait son charme. On a parlé cuisine et moutarde azotée, comme des gourmets. Lui, Gaétan, c'est un vrai pâté chinois qu'il déguste, avec doxorubicine, bléomycine, vinblastine et décarbazine, et l'autre soir il a eu une hémorragie des gencives en se brossant les dents. Il m'a avoué qu'il trouve le temps long, qu'il est tanné d'être malade, et on s'est promis de se revoir pour s'épauler. Ça m'a fait penser que, depuis que je suis condamné à n'être que ce que je suis, moi aussi je réfléchis au temps qui passe ou qui ne passe pas selon les heures du jour ou les sentiments qui nous hantent. Face au temps cruel, seuls les saints ont la force surhumaine d'être sans cesse égaux à eux-mêmes, mais les petits païens comme moi sont incertains et fragiles : la vie nous brise et nous ne savons pas rester jeunes et croyants. Et puis j'ai remarqué une chose : c'est souvent la nuit, quand personne nous voit, qu'on vieillit. Le jour, on accuse les coups, mais, le soir, on leur pardonne tout en échange d'un peu de vieillesse grasse et nourrissante. On aime croire que c'est la bonne soupe épaisse de la sagesse, mais c'est des pots-de-vin. Ceux qui ont compris la mécanique de la vie la singent et font tout comme elle, distribuant de maigres joies et de petits bonheurs là où il faut, juste assez pour affriander les tout-nus qui lèchent alors les gros sabots de la misère. Oui, la vie est injuste, c'est son métier : il y aura toujours des gens qui souffriront le martyre, parce que le bonheur coûte les yeux de la tête et qu'il n'y en aura jamais assez pour tout le monde. C'est écrit dans le ciel pour qui sait lire : nous manquerons toujours d'yeux.

Ma seule chance aurait été d'être un saint homme, car les saints hommes sont forts comme le roc des montagnes, mais j'ai toujours eu peur de la sainteté à cause de la perfection qui n'est pas de ce monde, et à cause des broches d'auréole qu'il faut se planter dans le cuir chevelu.

Ce matin, j'ai téléphoné à Louis, à Mascouche, mon petit saint Louis qui se porte à merveille : son cœur cousu de fil d'or suit le rythme endiablé d'une vie nouvelle et bat la campagne. Louis m'a avoué qu'il s'ennuie de moi et je lui ai répondu d'aller jouer au hockey dans la rue, que ça lui passerait. Moi aussi, je m'ennuie, mais faut savoir se taire, et faut avoir le courage d'être brutal, sinon, sinon un homme peut tomber bien bas, jusque dans l'apitoiement qui est au bas de l'échelle des sentiments.

Je n'ai pas découvert
les anneaux de Saturne

parce que je regardais ailleurs,
mais je découvre
le vide du monde
quand je regarde
l'espace que tu occupais.

Benoît aussi va mieux : il ne pisse plus de sang dans le coma et il est revenu dans notre chambre avec d'incroyables souvenirs de son long évanouissement, des impressions qu'il nous raconte avec des flammes dans les yeux et on est bouche bée, quasiment envieux. Il dit qu'il a vu des anges, des dieux, des femmes nues à tête de vautour, des licornes de feu et des figures géométriques qui lui murmuraient des secrets dans un tourbillon d'astéroïdes; qu'il était un géant, et puis l'instant d'après un nain; et qu'à la fin il s'était métamorphosé en une statue de l'île de Pâques toute brûlée de soleil et de fientes d'albatros; et puis il a entendu toutes les prières que ses parents ont marmonnées à côté de lui, et il a eu l'impression d'être à l'église où il était le Saint-Esprit.

«J'ai adoré ça, le coma, mais j'y retournerais pas.»

Il en a ramené des joyaux, c'est entendu, mais il a quand même eu la frousse de sa vie et ça fait cher le joyau.

Son médecin qui sait tout lui a appris que son nom vient du latin *beneeit*, qui est le participe passé du verbe «bénir». Benoît en est tout fier et répète sans arrêt qu'il est béni des dieux, tellement que je songe à le débaptiser pour le sacrer saint Benoît, pour le rebaptiser avec de l'ail et du vin comme un roi.

Je lui ai demandé :

« As-tu bien réchauffé mon lit aux soins intensifs ? »

Il a ri, mais jaune.

J'aime beaucoup Benoît : c'est un garçon sensible qui ne mérite pas de mourir tout de suite et qui a bien gagné son sursis ; je sais qu'il fera bon usage de ses jours-cadeaux.

Un soir, j'ai fait une folie en secret : je lui ai adressé une prière, une vraie, une qui vient de loin, du fond de soi où il fait noir, et qui s'élève dans la brume, dans un souffle qui cherche sa lumière ; je lui ai demandé de m'accorder la guérison, oui, j'ai demandé ça à Benoît qui en possède la mystérieuse clé. Et si un jour je guéris et que je sors d'ici en un seul morceau de viande, debout sur mes deux pieds avec toute ma bonne tête sur les épaules, je promets devant les hommes de suivre religieusement mon ami comme une queue de veau, et même mieux que ça : je le suivrai comme un petit bénédictin et je construirai des chapelles dans son sillage.

Un matin, Benoît et moi, nous avons discuté de l'école, de nos amis qui s'instruisent sans nous et qui doivent être bien savants, maintenant. J'ai dit : « J'adorais la géographie ; les cratères de météorites, le fond des mers, les minéraux, les cheminées de fées. J'aurais bien aimé descendre dans les volcans, étudier les tremblements de terre, chercher du pétrole au Yukon et visiter des pays inimaginables comme le Mozambique, le Laos ou l'Uruguay. Ou peut-être que j'aurais aimé être gardien de but.

– Moi, a dit Benoît, si jamais je guéris, je promets de me diriger dans le tube digestif ou de devenir un néphrologue… Oui, je ferai du bien aux reins du monde entier… »

Je sais pas pourquoi, mais les infirmières mettent l'urine de Benoît dans des fioles sur le bord de la fenêtre de notre chambre. On dirait qu'elles veulent en éprouver la pureté à travers les rayons du jour, mais c'est gênant pour lui. Tout le monde le taquine pour le faire rougir, mais il prend ça du bon côté : lui ne mourra pas et il aura toute la vie pour oublier cette humiliation. En attendant, le soleil du matin se lève dans la pisse d'or de Benoît, à travers les flacons de verre, et ça nous fait, dans notre chambre, comme de la belle lumière de vitrail.

Quant à la petite Magdalena trahie par une jaunisse, elle se trouve toujours dans la même chambre, où elle somnole dans un état stable, ce qui est formidable vu son foie. Ses nouveaux parents juridiques veulent la retourner à l'expéditeur, en Roumanie, à cause d'un vice caché qui n'apparaît pas sur le contrat qu'ils ont signé lors de la transaction avec les vendeurs. En attendant le verdict du tribunal commercial, ils ont reçu de nouveaux catalogues et reluquent la marchandise fraîche du marché aux enfants. Et toute seule dans son coin, Magdalena rêve de la mer Noire et des Carpates, à moins que quelqu'un d'autre l'achète, ici ou dans un autre pays riche, ou qu'elle devienne une pupille de la nation. Faire sa vie sur du vent, c'est risqué, mais elle n'a pas le choix : elle est seule au monde.

Parlant de faire sa vie, je me suis fait un nouvel ami : Erik, avec un *k* mais sans accent, comme Erik le Rouge, le célèbre Viking des années 1000, évêque du Groenland et père de Leif, son fils qui serait venu en Amérique dans les livres d'histoire.

Mon ami Erik a hérité d'une malformation qui lui fait des petites poches dans l'œsophage où s'accumulent les aliments qui pourrissent là et lui donnent une haleine de cadavre épouvantable. À cause de ces anomalies dans le tuyau, le pauvre garçon s'étouffe dans sa salive et ses morves de nuit. C'est pas drôle, mais, ce que j'aime chez lui, c'est qu'il déteste parler de lui-même, comme moi de moi, et nous sommes vite devenus des copains qui se comprennent en secret, comme la luette et l'épiglotte.

« Faut juste que je rie pas trop. »

Quand il rit trop il tousse, mais ça va s'arranger.

« On va m'ouvrir le pharynx pour aller boucher les poches. »

L'autre jour, vu que je me sentais mieux que d'habitude et que j'avais envie de m'épivarder, j'ai invité Erik à venir jouer avec moi dans l'ascenseur pour faire la tournée des étages. À un moment donné, il m'a dit : « J'aime pas les néons, c'est de la lumière froide comme de la lumière de lune. » J'avais jamais pensé à ça, mais c'est pas bête du tout.

Au début, on cherchait la pouponnière parce qu'on avait le goût de voir des nouveau-nés pour changer la routine, mais on riait comme des fous et mon ami toussait beaucoup – on riait parce qu'on avait l'impression d'aller au zoo. Un préposé aux bénéficiaires nous a même chicanés : il trouvait qu'on menait trop de train.

En chemin, on s'est perdus dans le labyrinthe des corridors et des étages, puis on s'est ramassés au fin fond de l'hôpital, en gynécologie, où des femmes sans expression attendaient sur des chaises le long des murs gris, sous des néons qui grésillaient, et partout on avait l'impression de déranger, d'être dans les jambes des médecins et des infirmières qui nous regardaient de travers, ça fait qu'on est descendus faire un tour au rez-de-chaussée voir arriver les ambulances, mais ça nous a démoralisés.

C'est comme ça qu'on a abouti dans le hall où vont fumer les malades en jaquette. Une petite madame toute maigre et chiffonnée sous perfusion, qui traînait son sérum sur une pôle à roulettes, était assise dans un losange de soleil et semblait perdue dans la fumée de sa cigarette.

«C'est mes dernières, qu'elle a dit. Demain, ils vont m'ôter le larynx. Je voudrais bien le garder en souvenir dans un bocal, comme mes pierres de foie, mais ils veulent pas.»

Elle avait la voix pleine d'éraillures qui me donnait envie de me racler la gorge. Quand elle a su ce qu'on avait, Erik et moi, elle nous a trouvés un peu jeunes pour être malades, et elle a dit que c'était bien de valeur, puis elle nous a parlé de son mari qui lui manquait beaucoup.

«À la fin, ils lui avaient percé le gosier, pis j'étais obligée de lui rentrer la cigarette dans le trou pour le faire fumer...»

Je me disais que mes parents devaient arrêter de fumer s'ils ne voulaient pas finir comme ça, mangés de cancers, quand soudain j'ai remarqué, à côté de la dame, un monsieur dépeigné en robe de chambre qui l'écoutait d'une oreille en hochant la tête. La dame s'en est aperçue et s'est mise à le lorgner du coin de l'œil; l'homme s'en est rendu compte et ils ont fini par faire connaissance et par bavarder ensemble.

«Ah! les maudits spécialistes! Y z'ont-t'y assez l'air bête, rien qu'un peu!

– Ils sont obligés, madame, sans ça ils feraient pas long feu.

– Je me demande ce qu'il y a dans le sérum qui nous garde en vie.

– Des protéines, du glucose, des médicaments, des affaires de même.»

C'était beau de voir ça, deux vieux malades en train de devenir des amis sous nos yeux.

« Pis vous, c'est quoi qui vous a amené ici ?
– Ma prostate. »

Voyant qu'ils se débrouilleraient très bien sans nous, on leur a souhaité une bonne journée, de belles chirurgies, puis on est allés mendier des sous à l'entrée de l'hôpital en jouant à qui serait le meilleur quêteux, mais c'était pas juste, parce que ma chaise roulante m'avantageait en me faisant faire plus pitié qu'Erik.

On a quêté cinq minutes, jusqu'à ce qu'une sorte de sentinelle de mauvaise humeur nous chasse de là, en nous disant que c'est pas parce qu'on est malade qu'on a le droit de faire n'importe quoi. C'est pas faux. On n'a pas insisté non plus et on a filé dépenser notre argent dans les machines à Coca-Cola et les distributrices de friandises du premier sous-sol. J'ai donné quelques pièces à Erik pour que ce soit moitié-moitié.

« Tiens, que je lui ai dit pour rire, ton pourboire pour pousser partout ma carcasse dans mon carrosse. »

Là, devant une cafetière automatique, on a piqué une jasette avec une femme qui disait faire une « grossesse utopique ». On s'est dit qu'elle allait accoucher d'un rêve, la pauvre, ou d'un espoir mort-né. Comme de raison, on n'a pas osé lui demander de nous indiquer où se trouvait la pouponnière ; on lui a plutôt souhaité bonne chance et elle a disparu avec son pauvre verre de carton rempli de café. Après, dans la cafétéria, on a écouté deux malades comiques qui épluchaient le *Journal de Montréal* tout en discutant des médecins et de leur « serment d'Hippocrite ».

Avant de regagner nos garçonnières, on a eu une idée du tonnerre : Erik m'a roulé jusqu'à la chapelle de l'abbé Guillemette, dans l'aile des chroniques. Le bon abbé des causes désespérées était parti boiter ailleurs, comme on l'avait souhaité, alors on a beaucoup ri : on a profané le tabernacle. On a bu chacun une grande gorgée de son vin sucré de Hongrie, puis on a volé des missels et une poignée d'hosties. Erik, ce pillard-né, a osé ravir un beau calice en tulipe d'or pour augmenter sa collection personnelle d'objets sacrés, lui qui a déjà volé un ostensoir, une trousse d'extrême-onction et un anneau épiscopal, une nuit, à l'évêché de Saint-Jérôme, et qui réserve tous ces joyaux pour la future femme de sa vie.

« Pour nous faire pardonner nos péchés, que j'ai dit, on va venir à la messe de l'abbé Guillemette, dimanche. »

Là-dessus, Erik m'a dit qu'il avait toujours cru que c'était l'athéisme qui l'empêchait d'avaler l'hostie à la communion, mais c'était juste une malformation de l'œsophage et il est déçu.

La nuit suivante, tout ramassé sous mes draps où je m'éclairais avec ma lampe de poche miniature, j'ai croqué du Christ comme des chips au vinaigre en lisant mon missel, et j'ai vu que j'avais eu la main heureuse : c'est une édition spéciale, un missel d'abonné à *Prions en l'Église*, qui est épais comme dix missels ordinaires et qui regorge de textes, dont toute la première épître de saint Paul aux Corinthiens. À la fin du chapitre 5, c'est écrit, noir sur blanc : « Enlevez le mauvais du milieu de vous. » Ça ressemble à des accusations détournées et je me demande si tout ne serait pas de ma faute. C'est vrai : c'est peut-être ma pauvre betterave qui, à force de n'aimer qu'à moitié, commence à se défaire en pourriture. On voit ça chez les salauds et chez les lâches : ils vivent, mais n'ont plus de cœur, et on se demande à quoi ça rime. J'ai aussi appris que mon corps est un membre du Christ, et que dans le sexe j'en aurais fait un membre de prostitué. Ffff! Jamais rien lu d'aussi détraqué.

Finalement, j'aime pas les épîtres. Je raffole pas de saint Paul non plus, c'est un névrosé. Et puis j'aime pas la Bible : il y a trop de magie dans cet almanach du peuple. À vrai dire, j'aurais peut-être suivi le Christ s'il ne m'avait pas soufflé au visage cette poudre de perlimpinpin qu'on appelle «miracle» et qui m'humilie tant. Car si le miracle est possible, pourquoi pas toujours le miracle, rien que le miracle? Pourquoi pas ma guérison? Et pourquoi pas la vie éternelle sur la terre plutôt qu'au ciel? Je l'aime énormément, moi, cet astre qui est le berceau de mes jours et le lit de mes nuits. Le ciel devra revêtir ses plus beaux atours s'il veut me faire oublier ma petite terre, mais je le dis tout cru : le ciel rêve en couleurs. Là-haut, l'éternité doit être longue comme une journée sans pain.

En croquant ma dernière chip sacrée, j'ai songé aux infinis champs de blé qu'il a fallu faucher pour confectionner toutes les hosties qui ont été avalées depuis que les communiants sillonnent l'univers, et je me suis dit qu'il suffit de répéter sans cesse le même geste pour qu'il perde tout son sens. C'est le même phénomène qui détruit les mots. J'ai mâché longtemps mon prénom dans ma tête : Fré-dé-ric, Fré-dé-ric, Fré-dé-ric; après quinze ou vingt fois, j'avais perdu toute ma saveur, comme une vieille chique de gomme.

Le lendemain, j'ai raconté ma journée de la veille à Benoît, qui n'a pas apprécié la manière dont j'ai écorché la Bible au vol.

«Ma mère m'a appris qu'il faut jamais sortir les mots de la Bible, m'a dit Benoît. La Bible, il faut la lire de loin, du bout des yeux, pour saisir les mots avec tout ce qui les entoure. Il faut tâcher de voir l'ensemble, comme pour un paysage ou une peinture, sans ça, l'essentiel nous échappe. C'est comme quand Jésus guérit l'aveugle dans l'évangile de Matthieu : il faut pas aller s'imaginer que l'aveugle retrouve vraiment la vue ! L'aveugle se met pas magiquement à voir le vrai soleil du vrai ciel, eh ! ce serait trop enfantin ! Il reste aveugle au monde des objets, mais Jésus le remplit d'une lumière nouvelle qui l'empêchera à jamais de se perdre dans la nuit de son cœur. L'aveugle qui voit, ça veut pas dire bêtement « l'aveugle qui voit », ça veut dire « l'aveugle qui croit ». C'est comme quand Jésus guérit le paralytique à Capharnaüm : le paralytique se lève pas vraiment de son grabat, ce serait trop stupide, trop cruel pour les handicapés qui lisent la Bible, mais Jésus lui rend la dignité. La foi fait grandir le paralytique à la hauteur des autres hommes et c'est ça le vrai miracle. La preuve que j'ai raison, c'est que ma mère a une amie paraplégique qui a jamais demandé au ciel de lui envoyer une nouvelle paire de jambes qui marchent. Elle a jamais fait de chantage comme ceux qui promettent de construire une niche pour la Vierge devant leur maison s'ils obtiennent des faveurs du ciel. Elle, elle croit en Dieu telle qu'elle est, sans se déshonorer, et sa vie lui suffit, et elle a jamais refusé ce don de Dieu, parce que la foi, la vraie, c'est pas une question de jambes. »

Ça m'en a bouché tout un plancher, mais j'ai quand même osé une réflexion.

« Mais… toutes les béquilles accrochées aux murs de l'oratoire Saint-Joseph, ça veut dire quoi ?

– Ça veut rien dire. Si t'as remarqué, c'est juste des vieilles béquilles de l'ancien temps, accrochées là pour faire un beau décor d'époque et pour attirer les touristes, pour impressionner ceux qui lisent jamais la Bible ou qui la comprennent pas. »

Ça m'en a soufflé le lampion. Et puis l'infatigable Benoît m'a encore dit quelque chose de réfléchi.

« La beauté de la Bible, c'est qu'elle est pleine d'allégories. »

Ouais. Il est rendu plus loin que nous autres, Benoît, nous qui ne connaissons à peu près que les chars allégoriques. Si c'était sorti d'un autre adolescent de dix-sept ans, j'aurais dit : « Il est trop jeune pour parler comme ça, il fait juste répéter les paroles de sa mère. » Mais comme ça coulait de la bouche de mon petit saint Benoît que j'estime et qui est une source sûre, je savais que ça devait être des idées d'excellente qualité. Je me suis promis d'y réfléchir à fond et d'essayer de tout comprendre – tout en me demandant si ce n'était pas lui, Benoît, le saint homme que j'aurais souhaité être mais que je ne deviendrai jamais, faute de temps. C'est que les doubles vies, c'est juste bon pour le cinéma, alors que la vraie vie de tous les jours est moins généreuse : elle ne fait pas deux fois l'aumône; et ma vie rêvée sera donc vécue par un autre homme qui pourrait bien être Benoît, qui sait ?

Le lendemain de ma discussion théologique avec Benoît, j'ai présenté Erik à Marilou, qui n'a plus l'air d'une Abénaquise : elle a perdu ses cheveux à cause de sa thérapie chimique au busulfan et elle pleure la face cachée dans son oreiller. Dans l'épreuve de beauté qui l'oppose au jour, Marilou perd du terrain. Le jour, qui ne lui arrivait pas à la cheville, lui arrive maintenant au nombril. On dirait une grande marée d'équinoxe qui monte et qui monte, et qui menace de submerger tout ce qu'il y a d'humain en elle. On dirait que le jour va la vaincre comme il vainc la nuit, au matin, et ça me désole tellement que ça me tue.

Si j'avais eu de la bonne moelle osseuse, j'aurais voulu me greffer à Marilou pour toujours.

Car nous voyons,
à présent,
dans un miroir,
en énigme,
mais alors
ce sera face à face.

C'est tout saint Paul que j'ai mis à l'étroit dans un petit poème, comme un mauvais génie dans une carafe, pour voir ce que ça me ferait, et franchement ça me fait peur, comme son *Où est-elle, ô mort, ta victoire?* Je me demande si la survie dans un monde si faux ne serait pas plus effroyable que l'anéantissement pur et simple dont le pressentiment m'égorge déjà dans mon lit. Oui, j'ai très peur de ce monde de saints, de prêtres et de prophètes qui vivent une vie inhumaine, ce monde qui veut nous dire comment exister et comment voir, mais qui n'a même pas le courage d'être limpide et qui nous perd dans ses miroirs; et le monde de saint Paul est un monde malsain où l'inversion des choses pourrit l'homme, où ma vérité est un mal et mes élans, des péchés – et c'est ce monde truqué qui voudrait détruire notre espoir de bonheur dans le présent, nous troubler à l'infini?

Ces stupidités-là me rendent agressif, et, le grand face à face annoncé par saint Paul, je le veux cul à cul, et même mieux : face à cul, avec mon cul dans sa face.

★

Bon, je le savais : la nouvelle s'est répandue comme une poudre d'escampette jusqu'en haut lieu, et les autorités n'aiment pas du tout mon nouveau pseudonyme, ni même l'idée que je me sois débaptisé tout seul dans mon coin, sans les avertir de ma métamorphose. Je sais pas, on dirait que cette mutation symbolique les terrorise plus que toutes les mutations génétiques, et qu'ils me croient mûr pour un petit séjour en psychiatrie, toutes dépenses payées, mais je leur dis : je suis pas n'importe qui, je suis le poète Métastase et je suis très connu dans ma famille, même mon père m'appelle par mon prénom, et puis je suis dans le dictionnaire, protégé par une impératrice d'Autriche, reine de Bohême et de Hongrie – mais c'est des incultes. Tout ce qu'ils veulent, c'est me trancher à chaud les testicules parce qu'ils sont écœurés de me voir féconder le monde à ma manière. Je les dégoûte par ma façon d'être en vie et de croquer la mort, les étoiles et le bon Dieu. Jusqu'à ma pauvre mère qui fond en larmes parce que l'abbé des causes désespérées crie par tous les corridors que j'ai mal tourné et que je me suis perdu dans la révolte et l'égoïsme; parce que les infirmières et mon oncologue trouvent malsaine ma relation avec la maladie; et que ma psychothérapeute parle de complaisance dans la morbidité ou quelque chose comme ça qui essaie de vouloir dire quelque chose. Fuck ! On peut-t'y crever comme on veut, icitte, tabarnac ? Est-ce que je passe mon temps à vous dire comment vivre, moi ? Va-t'y falloir que je me garroche en bas du septième étage pour m'arracher à vos griffes d'enragés ?

Un matin, Maryse Bouthillier a été dépêchée en catastrophe à mon chevet pour me tirer les vers de la plaie.

« Pourquoi au juste as-tu choisi un tel nom ? Comprends-tu que ça peut traumatiser ceux qui t'aiment et qui espèrent te voir guérir ? Qu'est-ce que tu cherches à nous dire par là ? »

Écoute bien ça, ma belle enfant, ça va laisser des traces de feu dans ta cervelle diplômée : je cherche à vous dire que le bonheur n'est pas dans l'enflure de l'éternité, ni dans les promesses d'ivrogne des dieux ou des démons, ni dans l'arriération affective de ceux qui ne peuvent pas vivre une minute sans nous entuber avec leur espoir de cul. Le bonheur et la liberté, je jette ça aux cochons : je crois plutôt qu'un homme digne de ce nom doit renoncer à sa liberté et à son bonheur pour épouser le malheur des perdus, pour éprouver leurs souffrances d'esclaves jusque dans sa chair, mais aussi pour reconnaître le bien jusque dans les têtes brûlées qui se refusent et qui ne croient en rien. Oui, il faut renoncer à soi-même et au monde des objets pour embrasser la laideur, la solitude, la vieillesse, la maladie et la mort, ces malheurs qui rendent les gens meilleurs, humbles et généreux, humains et miséricordieux, attachés à leurs pareils et amoureux de leurs derniers jours sur terre. C'est vrai : rien ne vaut une agonie pour convertir à la foi, d'un coup de baguette magique, le plus coriace des enfants de chienne.

Ça paraît peut-être pas aux yeux crevés qui m'entourent, mais je suis plus humble, plus généreux et plus humain que jamais, mais ma façon d'être humain leur est si étrangère qu'ils n'y voient que de l'inhumanité. On est nés pour pas se comprendre et ça sert à rien d'aller plus loin.

Soudain, j'ai planté mes yeux fous dans les yeux agrandis de ma psychothérapeute, et pour l'achever j'ai dit :

« Comme pour l'histoire de l'œuf et de la poule, on sait pas si c'est l'hystérie ou la psychothérapeute qui est apparue en premier sur la terre. »

On dirait que ça défrise une femme et qu'il y a de quoi là-dedans fracasser sa mine de crayon, car ma pauvre psy s'est volatilisée sans laisser d'adresse.

Adieu, mon bel ange gardien qui aimait tant pelleter mes nuages roses ; on se reverra dans la semaine des quatre jeudis.

Au jardin des orgueils,
le bois de jasmin
parfume la hache qui le frappe
et le framboisier
se saigne à mort
sur les rubis qu'il ne veut pas donner.

★

Ce matin, j'ai ouvert les yeux sur ma grand-mère Langlois qui me caressait la main, et ça m'a ému aux larmes, mais j'ai tout ravalé, tout étranglé, tout noyé. Depuis quelque temps, je suis si chien avec tout le monde et j'ai si honte de moi-même que je ne sais plus si je suis sincère, et dans le doute je m'abstiens, je tue dans l'œuf mes embryons de vérité, mais ma grand-mère n'est pas née de la dernière pluie et ce n'est pas moi qui vais l'effrayer et l'empêcher de s'approcher du gouffre que je suis.

« Ça me touche beaucoup, moi, ton histoire de poète Métastase, m'a-t-elle chuchoté. Je voudrais t'aider, te faire plaisir, mais explique-moi ce que tu veux, ce que tu penses, et pourquoi tu t'es baptisé d'un nouveau nom, s'il te plaît... »

Grand-maman Émilia, tu me comprends mieux que je me comprends et tu fais fondre mon cœur de glace en eau bénite, tu me rends plus transparent qu'un ciel d'hiver, et si quelqu'un doit boire à mon secret, c'est toi, toi plus que n'importe qui, et à toi je veux bien ouvrir ma blessure mortelle pour te révéler mon mystère de sang.

« C'est parce que je veux voir dans les lettres de mon nom les vraies lettres de la fin... Et je voudrais savoir ce qu'a bien pu écrire un homme dont le nom propre était la Mort... »

Ma grand-mère promène ses beaux yeux verts sur mon visage et je me sens tout chaud d'être aimé et compris, et j'ai si honte que je me retourne brusquement pour enfouir mon visage dans l'oreiller.

« Je vais te les trouver, moi, les livres de ton poète italien, mon beau. Je vais faire toutes les librairies de Montréal et tu vas voir que je vais te ramener ce que tu veux. »

Tu es trop généreuse et trop bonne pour moi, grand-maman, tu es trop extraordinaire et tu me comprends trop bien, c'est pas possible, je ne peux pas continuer à vivre comme ça, je ne pourrai plus jamais te regarder dans les yeux maintenant que tu connais mon secret, mais pardonne-moi, s'il te plaît, grand-maman, je te demande pardon pour tout le mal que j'ai fait autour de moi, pour toutes les peines que je cause à ceux qui m'aiment, mais la vie est atroce et je change avec les jours, et on dirait que je m'éloigne peu à peu du monde, que je suis emporté comme un bouchon de liège, et ça me terrifie. Je ne me reconnais plus et je suis impuissant, je ne suis plus moi-même et je suis hanté par une ombre sans visage qui va et qui vient sans bruit, qui parfois s'efface pour me laisser dans l'illusion que je me fais oublier, mais l'ombre satanique finit toujours par redescendre à travers le plafond, et j'ai beau serrer les dents et les fesses de toutes mes forces, elle me rentre dedans par la bouche et le derrière, et quand je m'éveille je vois que j'ai perdu des plumes, que je me fais manger tout rond, comme si la nuit qui m'habite quand je dors se retirait de moi au matin en m'emportant à moitié.

Oui, grand-maman, c'est épouvantable : chaque jour je perds la demie de ce qui me restait de la veille, et chaque lendemain je perds encore la demie de la demie, et ainsi de suite, mais je ne pourrai pas me dilapider comme ça éternellement, c'est mathématique, et bientôt je mordrai la poussière, tout dépouillé de mon petit capital, et je reposerai dans l'herbe, le cœur arraché de la poitrine comme une patate de la terre. Le plus terrible, c'est que cette ombre maléfique est sans épaisseur physique, sans profondeur charnelle, mais elle est bel et bien là, dévoreuse comme de l'acide mais insaisissable comme le vent, et on la sent bien mordre dans le vif, on la sent errer à l'intérieur comme un nuage toxique. *Fuck you!* que je lui crie, à cette hostie de vache, va donc chier ma crisse de câlisse d'enfant de garce! Mais je lui fais pas peur avec mes petits blasphèmes d'enfant de chœur, et j'ai l'air d'une belle ordure qui a perdu toute dignité et qui ne sait plus à quoi s'accrocher ni à qui demander pardon, mais personne n'y peut rien, ni toi, ni l'abbé boiteux, ni les icônes du Christ, et je descends tout seul au fond des ténèbres, et ça commence à être vrai pour vrai, ça n'est plus des mots ni des images, je vois vraiment s'effacer les visages de ma vie et s'éloigner les mains tant aimées qui veulent me retenir dans la lumière. Et les bruits et les voix s'éteignent aussi au loin, je n'entends plus dans mon crâne que l'éclatement horrible des métastases. Mes paupières se ferment peut-être pour la dernière fois et je suis ravagé par la peur glaciale et le délaissement.

Ô grand-maman Émilia, s'il te plaît, laisse-moi baiser tes pieds nus, et s'il te plaît, grand-maman, s'il te plaît, bénis-moi, bénis-moi, j'en ai besoin comme d'une eau pure et d'une chaleur humaine.

★

Ce matin, j'étais tout perdu quand j'ai ouvert les yeux sur de la lumière grise qui débordait tout autour du store vénitien d'aluminium tordu qui me démoralise tant. J'avais rêvé que ma grand-mère Émilia se trouvait encore auprès de moi et ça m'a détruit de ne pas la voir à mon côté. Et puis, je ne saurais pas dire pourquoi, mais cette lumière un peu sale, un peu farineuse, m'a semblé de la lumière de dimanche, et je ne m'étais pas trompé : on est dimanche, encore, et c'est dimanche partout où on regarde, c'est dimanche dans toutes les directions, dans tous les recoins de l'hôpital et on ne peut pas y échapper. Ces temps-ci, on dirait que c'est dimanche tous les jours, et je m'ennuie ce jour-là.

Allongé sur mon lit, j'ai l'impression de flotter dans le sel de la mer Morte. Je regarde dehors sans rien chercher des yeux et mes regards se perdent au loin. Ce que je pourrais voir, je l'ai déjà vu mille fois, et rien ne m'intéresse plus. Je songe à une phrase de la Bible, lue dans mon missel volé : « Vie du corps : un cœur paisible; mais l'envie est carie des os. » Ainsi donc, j'aurais envié quelque chose à quelqu'un ?... La vie aux autres, sûrement; le cœur paisible de ceux qui ignorent tout ce que je sais.

Je soupire, mais je pourrais ne pas soupirer et tout reviendrait au même, toutes les étoiles resteraient à la même place et le soleil tracerait son arche de feu dans le firmament; et la lune, femme de la nuit, perdrait son sang tous les mois, comme toujours.

Dehors, les vents sanglotent pour personne et ce sont des peines perdues; et les bourrasques de décembre jettent avec violence la neige et la glace contre les vitres. On dirait des tourbillons de sel et des gémissements d'enfant, et j'ai les yeux qui se brouillent de larmes quand je pense à ma vie passée : je n'avais pas conscience de la vitesse à laquelle j'étais en train de tout perdre; je ne comprenais pas que chaque journée qui a l'air de rien est une petite roue dentée dans la grande mécanique de la perte universelle.

C'est fou, mais, depuis que je suis petit, je me demande s'il y a un ciel au Ciel, et j'ai enfin trouvé la réponse dans mon missel bien mal acquis, mais qui m'a beaucoup profité, dans un passage du Livre des Rois, où Salomon dit : «Les cieux et les cieux des cieux ne te contiennent pas.» C'est bien ce que je pensais : la mort est un abîme.

À part de ça, il paraît que les prêtres portent une chasuble violette pour la liturgie des cadavres. Je trouve ça vulgaire en saint-simoniaque. Pourquoi pas une chasuble verte comme pour tous les dimanches du temps ordinaire? Pourquoi pas un tablier d'arts plastiques? un pyjama? un kimono? un chandail de Maurice Richard? Et puis pourquoi s'habiller pour dévorer le corps du Christ qui est mort dans la pureté de sa nudité?

À midi, j'ai pas avalé grand-chose. Je sais pas, on dirait que tout goûte rien. Tout ce que j'arrive encore à manger, c'est une patate crue de temps en temps, une patate à la croque-au-sel. Je me suis quand même forcé à boire mon lait, pour encourager mes os à faire leur métier jusqu'à la fin de la semaine qui commence, mais j'ai recraché tout le reste, le steak haché froid, les p'tites fèves archibouillies, le jello aux framboises et son chignon de crème fouettée artificielle. Si mon chien était ici, il se payerait un vrai festin, mais, moi, chaque jour je mange moins que la veille. On dirait que je perds espoir.

Plus tôt dans l'avant-midi, des clowns sont venus faire les zouaves dans notre aile parce que les grandes personnes en santé ont décidé que les jeunes malades devaient rire, quitte à rire pour rien. Ils sont arriérés, les gens en bonne santé : ils croient que le rire aide à guérir ! On voit bien qu'ils n'ont jamais souffert. Moi, en tout cas, j'ai pas ri une miette. Pas parce que je suis plus sérieux que le pape, mais parce que les clowns étaient cons comme des balais. Le plus con de la meute s'appelait Paztèque, avec un *z* comme dans « les zimbéciles », et le p'tit comique a essayé de faire le bouffon avec mon fragile outillage de poète. Je le voyais aller, mais je n'ai pas eu le temps de lui arracher un bras, et il a réussi à péter la mine de mon crayon préféré, celui qui écrit mes moins mauvais poèmes. J'aurais voulu le tuer, le crotté, mais il aurait fallu que j'en tue deux : un autre pingouin suivait Paztèque comme un cul, un clown femelle celui-là, une fée même, la fée Électricité aux dents trouées, une vulgaire hystérique qui surgissait en coup de vent dans les chambres pour tripoter en ricanant toutes les poches de soluté. Ils sont complètement tarés, ces chimpanzés-là. Au point où on en est, ils auraient pu au moins nous faire fumer en cachette, ou nous donner de la bière, ou retrousser pour nous les jupes des infirmières, je sais pas moi, des trucs d'adultes qui nous auraient fait un peu de bien pour vrai. Au lieu de ça, on nous écœure avec des guili-guili pour nous infantiliser à tour de bras.

Désespoir ! Même si vous mourriez âgés, vous n'auriez pas vécu vieux, pôvres zenfants.

★

Ça allait déjà mal, quand tout à coup l'abbé Guillemette a surgi comme une ombre d'un sépulcre pour venir me christianiser à mon chevet. Je sais pas pourquoi, mais l'homme d'Église est allé se fourrer sous sa calvitie l'idée de me pardonner les péchés de ma vie si j'ai bien compris, ou peut-être même qu'il veut m'oindre de force avec son huile d'olive cachée dans une ampoule sous sa robe, mais je lui ai dit que je refuserai toujours de faire pénitence devant lui et que je ne me laisserai jamais tripoter par un autre homme que moi ou qu'une femme.

Oui, je me serais peut-être laissé oindre par une femme prêtre, par galanterie ou par affection, mais certainement pas par un abbé d'hôpital à qui je ne dois rien.

À chacun sa pudeur, et les morts seront bien regrettés.

« Bon, d'accord, tu ne veux pas faire pénitence, très bien... mais... est-ce que je pourrais au moins savoir pourquoi ?

– Parce que je suis parfait. »

Oh là là ! il doit me trouver fendant en baptême, l'abbé bouche bée. On voit que ça le frustre d'être tombé sur un pur qui le dépasse, et il ne veut évidemment pas me croire, lui qui se voit toujours flotter au-dessus du troupeau, mais il ne m'aura pas à l'usure, l'enfant de guenon, je ne suis pas une pâte molle, moi, j'ai été durci à la flamme nue, aux cyclophosphamides et au cobalt !

« Mais voyons, Frédéric, ça n'a aucun sens ce que tu me racontes là... Personne n'est parfait...

– Moi, oui ! Et je vous raconte rien, je suis pas une comtesse de Ségur, je vous parle sérieusement, d'homme à homme, et je vous le répète : j'ai aucun péché en moi et ça s'explique pas, ça se discute pas, c'est un mystère et c'est tout, et jamais vous me forcerez à aller à la confesse, et si personne veut me croire, eh ben fuck ! Ça me fait rien de pourrir tout seul dans mon coin jusqu'à la fin, je suis habitué. Et puis qu'est-ce que ça donne, au juste, la confession, hein ? Se repentir de ses fautes changera jamais le passé. »

Il a soudainement eu l'air bête et je l'ai vu serrer la main sur la tête de bouc de sa canne pour réprimer ses instincts d'agression devant la petite obscénité que j'avais osé cracher, mais il avait encore des cartes dans sa manche.

« Dans un sens, Frédéric, je te comprends d'être enragé et révolté, mais je ne te veux aucun mal, parole d'ami. En vérité, tu n'es hélas pas le premier jeune homme que je vois sombrer dans la colère, mais je voudrais te faire comprendre que la maladie, quelle qu'en soit l'issue, mène le malade au salut, et j'aimerais que dans le oui de la foi tu acceptes de recevoir une onction en tant que membre baptisé de l'Église, car tu as été baptisé par tes parents qui t'aiment et qui ne te voulaient que du bien par ce baptême, tout le bien du monde, ne l'oublie jamais, et sache que l'Église, ton Église, n'est pas désespérée face à la mort, mais qu'elle veut lever pour toi la lampe de la foi pour guider tes pas à la rencontre du Tout-Puissant ; et sache aussi que tu ne peux pas te pardonner tes propres fautes, Dieu seul le peut, Dieu dont je suis le ministre chez les hommes. »

C'est bien dit, mais ça me laisse froid.

« Écoutez, monsieur le ministre, écoutez… Si mon baptême a rendu mes parents heureux autrefois, tant mieux pour eux, moi aussi je leur veux tout le bien du monde, mais aujourd'hui je suis grand et c'est moi qui décide, et que mes parents m'aiment ou non change rien à ce qui m'attend ni à ce que je vois, moi, maintenant que j'y suis. Et je vois que j'ai besoin de personne pour aller m'éteindre dans la nuit. »

À ces mots, l'abbé Guillemette s'est tripoté le nez en réfléchissant fort, à s'en donner des crampes de sourcils, puis il m'a regardé dans le blanc des yeux, l'air sincèrement désolé.

« Tu sembles ne penser qu'à toi, mon pauvre Frédéric, mais il n'y a pas que ton petit péché personnel qui compte, il y a aussi le péché en général, le péché du monde. En tant que jeune chrétien, tu dois apprendre à porter avec les autres le poids du péché universel qui cause tout le malheur des hommes, et si tu refuses de supporter les suites du péché qui restent après le pardon, c'est le don de Dieu que tu refuses en toi, et c'est comme si tu voulais adopter le point de vue de Dieu, qui est réservé à Dieu seulement, et c'en est un, ça, un péché, et on l'appelle l'acte d'orgueil, et ç'a même été le premier péché du monde, celui par lequel Adam a perdu la sainteté et l'immortalité. »

Ouais, on dit ça, mais, s'il ne voulait pas perdre son innocence avec la première femme venue, le premier homme n'avait qu'à se pendre à l'arbre de la science du bien et du mal, et nous serions tranquilles aujourd'hui.

« Ça me fait de la peine de vous dire ça, monsieur l'abbé, mais j'ai pas à rougir devant les saints immortels parce que je suis pur comme la pluie, comme ma mère qui est parfaite, elle aussi, ma mère qui sait pardonner mieux que le bon Dieu, et essayez surtout pas de me faire accroire que parler fort et dire ce qu'on pense sont des péchés, parce que le vrai péché du monde, le plus grave, c'est Dieu qui l'a commis en créant les hommes, et c'est lui qui devrait nous demander pardon pour tout le mal qu'il fait à l'humanité depuis toujours, lui qui devrait jeûner pendant le carême et aller à la confesse, lui qui devrait se fouetter dans les rues et demander qu'on le crucifie, et venez pas me parler de la liberté des hommes, parce que c'est trop facile à dire, ça, et puis je déteste votre liberté à en vomir, parce que ce sont toujours les mêmes qui en parlent et qui y croient, ce sont les riches qui radotent, et puis, au fond, il y a peut-être juste des accidents, partout, tout le temps. »

Il ne disait plus rien, le pauvre abbé Guillemette, mais il jonglait sérieusement et soupirait en se massant les tempes. Après des semaines de fréquentation, il devait commencer à penser qu'il allait devoir me sauver contre mon gré.

« Je vous déteste pas, monsieur l'abbé, même que je vous aime bien dans le fond parce que vous faites votre métier de votre mieux, mais je trouve ça triste de vous voir vous fatiguer pour rien, vu que je suis perdu pour tout le monde, pour la science comme pour la religion, et puis, vous et moi, on est des étrangers l'un pour l'autre. La différence entre nous deux, c'est que moi j'ai jamais eu besoin de sentir un enfer brûler sous mes pieds pour faire le bien, ni l'épée du bon Dieu sur ma nuque pour aimer les hommes. »

À la fin, sans doute un peu éreinté d'œuvrer dans le vide comme en pays barbare, se disant peut-être qu'il reviendrait me travailler un jour prochain où mes souffrances et mon désarroi me seraient insupportables, l'abbé des causes désespérées m'a demandé si je lui accordais au moins la permission de prier pour moi dans le silence de sa chapelle, mais même ça j'ai pas voulu; eh oui, je lui ai refusé jusqu'à ce plaisir solitaire. Je suis peut-être un enfant de chienne, mais personne va prier pour moi dans mon dos, jamais personne. Et avant que l'abbé se mette à insister, je lui ai expliqué mes dernières volontés. Je veux juste qu'on garroche ma dépouille dans un feu de camp au chalet, qu'on me regarde crépiter en s'extasiant sur mes étincelles, puis qu'à la fin on ramasse mes cendres à la pelle pour en remplir un petit bateau de plastique qu'on va aller mettre à flot dans la baie Missisquoi, au bout du quai municipal de Venise-en-Québec. On pourra baptiser mon petit bateau à la grosse bière ou au crème soda, si on veut, ça me dérange pas, du moment que quelqu'un me pousse du pied vers le large pour toujours. Voilà, c'est tout ce que je demande; c'est pas compliqué, me semble. Et si quelqu'un a l'idée de gueuler mes poèmes autour du feu à l'heure des marshmallows, je veux qu'il les présente comme l'œuvre du poète Métastase et qu'il les brûle ensuite. Après le spectacle, que l'on oublie mes flammes et ma fumée; pas de messe du bout de l'an, de grâce! et surtout pas d'hommage posthume : je suis allergique aux marques de gratitude, ce sucre des mauviettes. Pas un chat qui va me faire les honneurs que j'aime pas, sinon ça va aller mal en enfant de putain. Je suis capable du pire, vous le savez, que j'ai dit à l'abbé; je suis capable de vous ressusciter en pleine face pour revenir vous posséder de tous les satans que j'héberge depuis que je suis né.

Voilà, c'est sur cette note discordante que je vous fais mes adieux, ô bon abbé Guillemette. Vous vous êtes beaucoup tracassé au sujet de mon bonheur et je vous en remercie, et puis j'aimais bien vos robes parfumées à la myrrhe, mais un peu moins votre magie, vos charités féroces et vos envoûtements ; et je vous reverrai éternellement dans votre chapelle, tout emmailloté de voiles fins comme un gros bébé aux chairs blanches, mais, honnêtement, je ne ressens pas le besoin d'être sauvé, vu que je vois pas de quoi on me sauverait. Après tout, la mort n'est pas un vice : c'est juste un passe-temps comme un autre. Et puis je suis si maigre que je ne saurais pas dans quel recoin de ma carcasse les mettre, mes péchés. Il n'y a plus rien qui rentre, même mon être est à l'étroit dans cette maigreur, et je veux juste garder en moi mes rares vertus, qui sont mes bijoux de famille.

Oui, je mourrai nu et ignorant, en dehors des religions, comme je suis né, comme on ne sait plus mourir.

★

Tandis que je reprends mon souffle après la visite de l'abbé boiteux au crâne luisant de vanité, je me mets à songer à ma pauvre grand-mère Émilia qui passe ses journées à trotter malgré ses oignons qui la font boitiller, elle aussi, ma grand-mère en or qui va et vient entre Sainte-Rose, Laval et Montréal, cherchant partout, au fond de tous les centres d'achats et des librairies les plus poussiéreuses, les œuvres introuvables de Pierre Métastase, ce vieux poète italien oublié dans le dictionnaire. J'ai dit à ma grand-mère de ne pas s'en faire avec ça, de continuer ses recherches sans se désespérer, mais qu'entre-temps je voulais absolument lire des choses sur la mort, n'importe quoi, ce qu'elle trouverait chez le premier libraire, mais que ça pressait un peu quand même et que c'était mon dernier souhait, que je ne lui demanderais jamais plus rien après ça.

« Étant donné que je sais pas trop si je vais me rendre jusqu'aux fêtes, que je lui ai dit au téléphone, je me demandais si tu pouvais pas me donner mon cadeau de Noël avant le temps... »

C'est ainsi qu'un matin ma grand-mère Langlois m'est apparue dans ma garçonnière avec un secret sous le manteau, un autre livre brûlant qu'elle tenait comme une braise entre ses doigts crochis par l'arthrite, un ouvrage intitulé *La Mort universelle*, qui commence par une phrase d'un vicomte de Chateaubriand que je ne connais pas : « La vie sans les maux est un hochet d'enfant. » Ça m'a donné un violent coup de poignard en plein cœur tellement c'est vrai, cruellement vrai.

Ce livre dont j'avais tant besoin et que j'ai attendu comme un assoiffé, je le garde bien caché sous mon oreiller et j'en parle à personne, mais je l'ouvre chaque fois que je peux, quand je me sens la force d'être assez intelligent pour comprendre ce que je m'en vais lire, et je l'épluche au fil des jours, mes couvertures rabattues sur ma tête pour m'isoler du monde comme un ermite dans sa caverne, et c'est dans ce silence et cette solitude que j'ai appris que les premières sépultures connues sont en Mésopotamie, où le défunt, qui avait des restes de daims dans les mains et des coquilles d'œufs d'autruche brûlés sur la poitrine, s'exilait dans les terres sans retour, dans la Maison des Ténèbres et de la Poussière. Ça m'a beaucoup impressionné et j'ai continué jusqu'en Océanie, où les enfants conservaient les crânes décharnés de leurs parents; jusqu'à

Jéricho, où on vissait des coquillages dans les yeux des morts; jusqu'en Europe centrale et en Sibérie, où on protégeait les tombeaux avec des omoplates de mammouths; et partout on saupoudrait les corps avec de l'ocre, qui est le symbole du sang, on les parait de perles d'ivoire, de dents de renards bleus en pendeloques, de colliers de vertèbres d'écureuils ou de mâchoires de zibelines.

En Afrique, le défunt doit d'abord passer par le désordre de la pourriture brune, molle et puante avant d'accéder à l'ordre supérieur du squelette blanc, dur et propre de l'ancêtre. Là-bas, la mort est liée à la parole et n'est totale qu'à la perte du nom, et l'homme meurt vraiment quand il n'y a plus personne pour l'appeler, mais on prend soin d'abreuver la parole du mort en lui versant de l'eau dans la bouche, vu qu'un mort à la gorge sèche ne pourrait jamais parler avec les vivants. Et puis, il y a de bonnes morts, comme mourir de vieillesse auprès des siens, paisiblement, en harmonie avec les ancêtres, et de mauvaises morts, des morts impures provoquées par des crimes, des noyades, des suicides; et de là vient que l'homme enfoui partagera soit le sort des semences, soit celui des cailloux.

Et parfois, encore en Afrique, on pouvait observer le sacrifice du Maître de lance qui se faisait enterrer vivant pour surprendre et humilier la mort; et souvent, chez les Celtes, on brûlait vifs les enfants du défunt; chez les Étrusques, c'est un démon au nez crochu, Charon, le fils de la Nuit, qui achevait les mourants; et chez les peuples du Nord, le meurtre d'Ymir est à l'origine de la vie et du monde, où la chair d'Ymir est la terre, ses os les rochers, son sang la mer, ses cheveux les nuages, son crâne le ciel, où la genèse est le meurtre du dieu, et l'apocalypse, le meurtre du cosmos; et les Aztèques immolaient des victimes humaines à Huitzilopochtli, le dieu de la Guerre, de la Chasse et du Soleil, le maître du monde.

J'ai appris aussi que dans l'Arctique les âmes vagabondes sont pourchassées par des chamanes qui doivent se dédoubler pour exorciser les abris en saisissant les âmes entre leur baguette et la peau de leur tambour. Et chez les Esquimaux, le malade comme moi a perdu son âme, elle a été volée par un ours ou s'est perdue dans la lune, et, à sa mort, le malade rejoint la demeure de la Souveraine, au fond de la mer.

J'aime aussi l'Égypte où Râ, le créateur aux quatorze corps qui avait quatorze chances d'être immortel, a mis l'ordre à la place du chaos, et où Pharaon, qui vient du Soleil et du dieu de l'Horizon à tête de faucon, est celui qui continue l'œuvre de Râ; où le ciel est une vache céleste qui allaite Pharaon et s'unit à lui, ce taureau qui fertilise sa mère mais qui n'aura qu'à renier ses péchés pour les rayer de la mémoire divine; où l'âme des défunts reçoit au ciel la lumière du soleil, tandis que dans les tombeaux les corps embaumés vivent la vie des cadavres qui ne pourrissent pas, protégés par Anubis, le dieu à tête de chacal.

Mais je pense que, entre tous les lieux où un homme peut mourir, j'aurais préféré mourir en Inde, où les parsis venus de Perse déposent leurs morts au sommet d'une tour du silence où les vautours viennent les dévorer; ou dans les pays du Bouddha, où chacun rêve de mourir détaché du faux réconfort des objets; ou dans les pays du tao où le défunt retourne à l'enfance du monde, à la perfection originelle du Rien, du Vide, du Grand, de l'Un, ce qui doit être la vraie paix, le vrai repos.

Tout là-bas, en Orient, la vie est un rêve auquel on croit tant que l'on dort, mais la mort est le Grand Réveil; et la respiration des hommes ne se contente pas d'air, mais cherche les émanations solaires, lunaires et stellaires. Oui, l'Asie était faite pour moi, et moi pour elle; et j'aurais aimé voir mes cendres partir au fil d'un ciel fleuri et liquéfié, dans le Gange épicé par la macération des cadavres bourrés de curry.

On rit bien de Lao-tseu, mais il a dit : « Bloque toutes les ouvertures, ferme toutes les portes, tu seras sans usure au terme de ta vie. » Mais c'était une blague, je pense, une manière subtile de mépriser les poules mouillées, et c'est ce que je comprends en lisant et relisant cette phrase – je comprends que l'homme accompli est un homme usé par sa mission, mais que l'homme resté neuf a lâchement refusé de vivre dans le vrai monde qui nous mange. J'ai remarqué ça : les philosophes nous en disent toujours plus long à la deuxième lecture, car ils commencent par se dissimuler pour ensuite mieux se dévoiler. Au fond, les philosophes sont comme certaines maladies qui nous forcent à nous battre pour rester en vie.

J'ai aussi remarqué que les religions, c'est bien beau, mais, à la longue, ça épuise et ça donne la nausée.

★

Tristement heureux et peu sûr de lui-même, sa tuque des Bruins de Boston enfoncée jusqu'aux oreilles et le manteau dézippé sur le dos, mon petit saint Benoît promène un dernier regard confus tout autour de cette chambre sinistre où il a failli laisser sa peau dans le lit près de la fenêtre. Je lis dans son œil l'impatience de fuir ce mouroir, mais aussi la douleur de nous trahir – mais va en paix, mon ami enfin tout purifié : ta glomérulonéphrite est maintenant derrière toi, avec tout un cortège de mauvais souvenirs où mes yeux brillent, et si je jalouse en silence ta guérison, c'est pas méchant mais rien qu'humain, lamentablement humain, car au fond je suis heureux pour toi, parole de frère damné. Sois courageux et prends-la par la main, cette liberté qui est venue te chercher entre nous tous, et fais-toi-z'en pas pour tes copains : on est plus vieux que nos artères et on lit des philosophes; on sait qu'un homme libre ne peut vivre sans jamais trahir personne. Oui, on sait tout ça, on n'est plus des enfants d'école, et on te pardonne d'avoir su guérir.

Dans l'air il y a
des papillons et des prophètes;
et dans l'eau,
des noyés et des trésors;
et dans le feu,
des amoureux et des martyrs;
et dans la terre,
de l'or, des patates et des hommes,
et puis,
du jour au lendemain,
soi-même.

Finalement, c'est Benoît qui aura eu raison : il va vivre, et sa vie sera faite de beaucoup d'actes et de peu de paroles, une vraie vie rêvée, toute contraire à la pauvre mienne, mais il s'en va avec un souffle au cœur, qui est une espèce de déchirure dans la tunique, un sombre murmure dans la conscience, une blessure secrète peut-être causée par un chagrin d'homme, qui sait ?

Nous sommes incapables de nous dire quoi que ce soit pour clore notre amitié, mais le mieux a toujours été de s'arracher de nos vieilles habitudes sans y penser. Je vois Benoît avaler de travers et trembler des cils, et juste au moment où je le sens sur le point d'articuler douloureusement un adieu éternel, il trouve le courage de pivoter sur ses talons pour s'effacer de nos vies, talonné par l'ombre de la maladie comme par le fantôme d'une scarlatine dégénérée.

Je pourrais en vouloir à Benoît de retourner brusquement au paradis et de m'abandonner à mon enfer, mais je ne l'ai jamais admiré plus qu'en cet instant fatidique où je le perds, où il m'ampute de lui-même sans cérémonie, d'un coup sec et impitoyable, et puis je le sais chargé des épîtres d'un nouveau testament : il emporte le plus grand secret de notre vie, mes lettres du purgatoire, cachées entre ses deux pyjamas bien pliés, au fond de sa petite valise de pèlerin. Pour les préserver des yeux indiscrets, il les a glissées dans les Astérix et les Tintin que je lui ai donnés. Dans un an et des poussières, qui sont les poussières qui me restent, mon ami ira mettre ces lettres à la poste, il me l'a juré sur la tête de Dieu, et je ressusciterai alors en messie de papier, avec mon sang d'encre, pour frôler la Terre une dernière fois, comme une comète, avant d'aller me perdre pour de bon dans les solitudes galactiques.

Le visage blême, entraîné par ses parents exaucés qui ne se rendent pas compte de la cruauté de leur joie, Benoît disparaît en jetant un dernier coup d'œil derrière lui, un cri muet qui m'atteint en pleine poitrine et me déchire. J'en reste foudroyé dans mon lit, le souffle coupé, et quand je finis par enfin rassembler mes esprits tout éparpillés, ma première pensée est que, plus tard, dans longtemps d'ici, quand Benoît sera devenu un néphrologue ému, il reviendra voir cette chambre numéro 9 où nous nous serons connus, et je serai toujours là, translucide comme une apparition tranquille, allongé dans ce même lit de métal aux pattes à roulette, et Benoît se verra dans le lit voisin, tout étourdi par ces années qui auront passé en un soupir, et je me demande ce qui subsistera de moi dans ce futur antérieur, dans ce souvenir dont je pressens déjà l'avènement, où il me semble que je suis déjà, puisque tout ça c'est demain. Je serai peut-être immobilisé dans la lumière grise de l'éternité comme dans une photographie, ou alors Benoît se rappellera vaguement quelques gestes infimes, la manière dont je bougeais la tête, dont je battais des paupières ou remuais la bouche quand je parlais; l'air que j'avais quand je regardais glisser les nuages sur la vitre ou que je croquais dans une pomme, quand j'avalais mes comprimés de cyclophosphamide sur mon estomac vide, ou lorsque ma mère apparaissait à mon chevet, comme la Sainte Vierge au Portugal.

Le docteur Benoît Caron réentendra peut-être l'écho lointain de ma voix cassée, se souviendra peut-être d'un poème né de ma plume, d'un sourire à mes lèvres, de mes pantoufles à mes pieds maigres, de ma hanche feuilletée et de mes yeux cernés, de quelques mots anodins que j'aurai prononcés, mais tous ces petits riens sauvés de l'oubli seront un peu de mon parfum qui flottera dans l'infini, la trace de lumière que j'aurai laissée dans le temps et qu'une sensibilité aura perçue par accident.

Voilà ce que je serai, ce que je suis : pas de quoi récrire le Pentateuque.

Heureux celui qui sort dehors
comme on entre dans une église.

Et pour Marilou ma Sauvagesse, ma p'tite Rilou du désespoir, qu'est-ce que je serai, sinon une hallucination qu'elle confondra avec sa pluie de cauchemars ?

Dans la lumière salopée d'un petit matin du temps ordinaire, très tôt, à l'heure où le dégoût de vivre nous remonte du fond de l'estomac, ils ont transféré Marilou dans un autre hôpital, sur le mont Royal, peut-être pour la rapprocher un peu du cimetière de la Côte-des-Neiges, pour l'habituer aux hauteurs de sa mort prochaine, et j'en ai rien su. Je ne l'ai pas vue partir et je ne sais pas ce qu'elle est devenue, si elle va bien ou mal, si un don de bonne moelle osseuse lui a sauvé la vie ou si le sang du diable bouillonne toujours dans ses veines.

Je n'ai sauvé d'elle aucun poème, mais j'ai gardé le souvenir de son visage et de sa voix, et les derniers mots que nous nous sommes dits la veille de son départ.

Elle m'avait demandé :

« Penses-tu qu'on a une âme et que l'âme va survivre après notre disparition ? »

J'avais répondu :

« Je sais pas, mais je pense pas... Toi ?...

– Moi, je pense que oui, mais j'aimerais mieux pas. »

C'est qu'elle avait très peur de l'âme, comme d'un châtiment barbare, et la survie de l'esprit lui semblait une condamnation à chuter toujours en soi-même, vers le rien, dans ce moi défoncé, cet empire des entrailles où chacun se meurt tout seul dans l'éternité.

« L'idée qu'il n'y a peut-être rien après la mort est la seule qui pour moi ressemble à un espoir. »

Ç'a été ça, les dernières paroles de Marilou Desjardins, Marilou qui s'est ensuite envolée comme si je l'avais rêvée, sur le même vent qui l'avait déposée dans le songe de ma vie. Elle est partie si vite que je n'ai même pas eu le temps de lui faire un enfant. Car oui, je l'aurais fait avec elle, dans un lit d'hôpital, avec nos tubes de sérum tout emmêlés, oui, j'aurais voulu faire au moins un amour dans ma vie, une fois, mais le faire bien, pour une bonne raison et avec la bonne fille; mais pas pour me reproduire, moi, pour la reproduire, elle, pour faire d'autres Marilou Desjardins dans le monde, créer d'autres beautés comme elle pour ceux qui restent ou qui s'en viennent, pour surprendre et humilier la mort, et nous aurions perdu ensemble, dans une même surprise, nos virginités, mais il est trop tard pour bien faire : je sais que je ne la reverrai pas, je le sens, et je n'ai plus d'amis.

Les jours passent et rien ne reste,
pas même la clarté d'une pensée;
et les jours tournent mal
et virent à la nuit;
et les nuits mêlent leurs eaux
en tourbillons
où mon reflet se perd en spirales
parmi les étoiles.

Mes rêves ont changé pour le pire et mes nuits commencent à ressembler à de petits comas en boucle. Je n'ai plus d'avenir au bout du nez, à peine un présent en souffrance qui me pèse sur le cœur, et les regards de mes sommeils sont tous tournés vers le passé. Je ne lis plus beaucoup, mais je revis mes hiers en chaos dans les ténèbres, tous les vieux jours vécus qui ont la dignité des souvenirs, et chaque réveil est un arrachement, une tombée dans l'horreur pour moi qui voudrais dormir, dormir, et dormir encore, pour me noyer dans la nuit.

Le plus désespérant, c'est que je vois tout, et trop bien, jusqu'à des choses interdites qui me brûlent les yeux, et sur mes joues roulent des larmes de feu, le sang des êtres de ma vie.

Le Soleil baigne dans ses vomissures,
la Terre tournoie dans sa névrose,
et sous une orgie d'étoiles brille la Lune,
placenta de l'humanité,
et sur ma planète bleue,
sur le plancher des vaches,
la vie se dépêche
comme une madame sous la pluie.

C'est fou, mais une infirmière m'a dit de ne pas désespérer, parce qu'on sait jamais, qu'un miracle pouvait encore se produire, vu que je suis dans la chambre numéro 9, oui, 9, qui est justement le chiffre du miracle, puisque sa racine carrée est la Trinité. Elle m'a dit ça tout en me débarbouillant la figure et j'ai eu peur de voir mon visage s'imprimer sur la débarbouillette comme sur le voile de Véronique.

Pauvres matantes. Elles sont extraordinairement fines avec nous autres, c'est pas la question, mais je me demande souvent où elles vont pêcher leurs drôles d'idées. Elles pensent que, quand on ferme les yeux pour de bon, l'air se peuple d'anges, mais, moi qui ne vis pas dans leur monde, je n'ai pas l'intention de mourir dans leur au-delà. Je mourrai dans le mien où il n'y aura rien, où on sera bien. Le monde est peut-être ce qu'on veut qu'il soit; peut-être l'outre-monde aussi. Ça m'arrangerait bien.

★

Ça y est, mes piles sont mortes, je veux parler des piles de mon transistor, mais j'aurai eu le temps d'apprendre que le saint suaire de Turin est un faux, qu'il n'a que sept cents ans. La nouvelle court en sourdine par tous les couloirs de l'hôpital, mais la plupart des gens font la sourde oreille : leur foi est si branlante qu'elle ne pourrait survivre à cette pauvre image effacée – et j'entends d'ici mon petit saint Benoît les sermonner comme un curé, rager contre leur mollesse. «Croyez donc en l'Invisible au lieu de vous accrocher à des enfantillages ! » C'est ce que Benoît leur dirait, il me semble, mais la vie continue son petit bonhomme de chemin sans se retourner sur ses ruines, sans même méditer sur ses illusions, et, cet après-midi, on célébrera ma mémoire avant le temps, et ce sera une de ces fêtes macabres que je redoute tant, qui me rappelle trop les religions du monde : la fête du mort. C'est que toute ma famille s'en vient me voir, et mon cœur bat vite et mal. Ils tourneront bientôt le coin, au bout du corridor, et on verra avancer sous les néons des sacs de cadeaux sur pattes. Ils cogneront discrètement à la porte et, le souffle coupé, passeront la tête dans l'embrasure pour voir si mes compagnons d'infortune et moi, nous sommes toujours vivants. Ils essayeront de cacher leur soulagement de me trouver en vie dans mon lit et ils me souriront en me voyant arquer les sourcils, puis ils s'approcheront en traînant à leur suite une longue queue d'air froid, avec l'odeur sauvage de l'hiver mêlée aux chevelures.

Maman se sera faite toute belle et je vois déjà luire dans la lumière ses yeux mouillés. Je devine aussi ses boucles d'oreilles dorées à petites pierres roses de corail, son foulard fuchsia qui cachera son cou tendineux qu'elle n'a jamais aimé, ses longs doigts cireux et bagués; et, déjà, il me semble que son doux parfum épicé chasse l'odeur écœurante des médicaments.

Se laissant conduire aveuglément dans ce monde impitoyable, papa sera accroché au bras de maman, empêtré dans ses vêtements du dimanche mais bien cravaté, un peu amaigri, le visage long, les yeux pochés et les mèches domptées, mais sans souffle et le regard assombri par une vague nausée. Il me dira bonjour tout bas, d'une secousse de la nuque, puis ma sœur et mon frère effarouchés se traîneront les pieds pas loin derrière, la bouche ouverte et la morve au nez.

L'air faussement enjoué, ils salueront mes camarades qui attendent eux aussi de la visite, puis ils empileront maladroitement leurs manteaux sur ma chaise roulante. Une tuque tombera à terre, une mitaine de laine. Charlotte viendra m'embrasser, tandis que Bruno me regardera droit dans les yeux, sans bouger, paralysé de frayeur au pied du lit. Mes parents s'assoiront sur une fesse au bord du matelas, avec précaution pour pas me briser, et la neige des rues fondra sous les bottes mangées de calcium et formera des flaques d'eau sale tout autour de mon lit.

Pendant que Charlotte m'aidera à déballer mes cadeaux, maman me frictionnera doucement les pieds, papa arrangera mes cheveux en désordre de sa main moite et glacée. Nous parlerons du chalet enseveli dans la neige jusqu'au toit, de la rivière aux Brochets qui ruisselle, maigre et murmurante, sous des croûtes de glace, et de la baie Missisquoi toute gelée qui semble réfléchir en m'attendant, tout là-bas, sous le ciel transparent de l'hiver.

Ils me donneront les dernières nouvelles de mon équipe de hockey, les Titans de Sainte-Philomène, qui gagne sans moi devant le filet; de mon chien, Voyou, qui dort au pied de mon lit vide et qui me cherche au fond de toutes les garde-robes; de mes camarades de classe qui m'ont confectionné une immense carte de bons vœux. Puis ils me toucheront le visage, les mains, avec une grande délicatesse, comme si j'étais un vase de cristal. Ils voudront que je me sente précieux, mais je me perdrai dans leurs bras trop nombreux, solitaire et inutile comme un joyau.

C'est alors qu'une voix s'élèvera dans ma tête, une voix mauvaise venue du milieu de moi et qui me fera lever les yeux vers ma mère.

Je penserai :

« Maman, je t'en supplie, garde tes précieuses larmes pour ton autre fils, car je n'en vaux pas la peine, je ne suis pas celui que tu attendais ni celui que tu t'imagineras regretter. Tu crois me connaître parce que tu m'as conçu, porté, enfanté et nourri au sein, mais tu ne connais pas la pauvreté de ton lait. C'est que les archanges t'ont trahie, ô maman : je suis pourri à l'intérieur, c'est écrit dans les épîtres, et j'ai les os cariés. Jésus m'aime pour mes péchés, comme si je n'avais de valeur qu'à travers eux, mais je ne suis pas un pécheur et je me sens perdu et souillé par Jésus. La Bible me menace de mort, mais je n'ai jamais commis le mal dont on m'accuse, ce mal qu'on voit partout. Je n'ai fait que naître pour ouvrir les yeux à la lumière, et je ne voulais rien d'autre que vivre avec le peu que j'avais reçu des étoiles. Si Jésus n'avait pas su multiplier les pains et les poissons, il les aurait volés, comme j'ai volé une pomme au supermarché, un jour que j'avais faim. Je ne suis pas moins parfait que le Christ; je suis seulement moins puissant. Suis-je pour autant son oiseau de malheur? Je ne veux pas que tu pleures, pauvre maman, mais je veux que tu fasses provision de tes larmes pour le jour où Voyou se fera écraser par un ivrogne, parce que, ce jour-là, tu devras pleurer pour deux, tu devras pleurer pour moi qui n'aurai plus d'yeux pour le faire. »

Ensuite, je regarderai mon père et je penserai :

« Papa, je n'ai jamais su qui est cet être étrange qui se cache au fond de moi depuis toujours, qui se trouvait là avant moi, avant ma naissance. J'ai toujours eu très peur de cette puissance noire enterrée dans ma tête, peur de ce qui pouvait en sortir, et je sais aujourd'hui que j'avais raison de claquer des dents. Je suis quelqu'un que je n'ai jamais vu nulle part et que j'espère ne jamais revoir. Le plus triste, c'est que je viens de toi qui ne méritait pas ça, mais je t'abandonne ici, je n'irai pas plus loin dans ta religion, je ne veux pas marcher dans ton espoir : je risquerais de le salir beaucoup. C'est qu'un homme dément parle par ma bouche, mais, au lieu de l'égorger comme un vrai fils devrait le faire, je l'écoute et je trouve qu'il n'a pas tort. Papa, je te regarde comme j'ai regardé les belles images saintes de mon enfance : je t'aime, mais de loin, et je n'aurais jamais voulu de ta vie. Et je m'éloigne chaque jour davantage, pas à pas; je m'éloigne de toi, de maman et de tous les autres, tellement que nos liens se brisent et que je vois mieux ce que nous sommes réellement : des êtres de brume qui s'agglutinent en petits peuples frileux et perdus à l'avance. Des fois, je pense même que tu m'as engendré par jalousie, mais tu l'ignores toi-même et je te pardonne. Il reste que tu m'enviais inconsciemment de ne pas vivre, de ne pas être, de ne pas souffrir dans le monde, alors une nuit tu as fécondé maman et l'étincelle de ma vie a jailli. Tu m'as conçu par vengeance et cette vengeance n'a pas été inutile : aujourd'hui que tu n'es plus seul à trembler devant la mort, l'illusion du nombre te fait croire que tu as une petite chance d'y échapper. Au fond, tu as voulu me faire voir ça parce que d'autres avant toi avaient voulu te le faire voir, et, cette douleur-là, il te fallait la partager, comme les chrétiens quand ils rompent le pain, et c'est seulement alors qu'elle devenait supportable; mais c'est pas grave, cher papa, non, c'est pas grave du tout, c'est juste humain, et t'auras pas été le premier homme à chercher son salut chez les autres. Pense donc que saint Joseph avait lui-même charpenté la croix de son fils, parce que c'est ça, le vrai métier de tous les pères, l'héritage caché de l'homme dans la nuit des temps. »

Ensuite, je regarderai Charlotte et je penserai :

« Chère sœurette, tu as grandi dans mon dos sans que je te voie faire et te voilà plus lointaine qu'une étrangère. Tu es une marionnette à gaine qui bouge devant des décors de carton, et j'ignore le nom des vents qui soufflent en toi et qui te font vivre. J'aurais voulu mieux te connaître, et peut-être un jour aurions-nous eu des choses à nous dire, mais je suis déjà une silhouette muette qui marche au loin dans la nuit, le dos courbé sous la pluie, la tête bourrée de nostalgies dont tu es la plus jeune. »

Enfin, je regarderai Bruno et je penserai :

«Ô toi, mon frère, je sais que tu me jalouses en secret, que tu voudrais souffrir davantage que moi. Dans tes plus beaux rêves, tu te vois gravement malade, à l'agonie même, et toutes les filles pleurent à ton chevet et admirent ton calvaire, mais au fond tu n'es rien qu'une poule mouillée, comme tout le monde : tu es trop lâche pour prier Dieu de t'envoyer un vrai cancer. Tu n'es qu'un petit romantique de mes deux fesses, comme il y en a à tous les coins de rue, une pauvre cervelle évaporée : tu ne peux même pas t'imaginer ce que c'est que d'ouvrir l'œil, le matin, en ayant encore en soi ce vieux réflexe de bonheur, puis de se rappeler soudainement qu'on est condamné. Que le ciel te préserve de ce savoir, ô frérot. J'espère que tu seras reconnaissant à ta bonne étoile de crever vieux de ta belle crevaison, perdu au milieu d'un lit d'institution vaste et glacé comme une banquise, dans les draps du gouvernement; et souviens-toi de penser à moi avant de rendre l'âme, à moi qui serai disparu depuis une éternité, moi le héros que tu auras envié pour rien toute ta vie durant. Mais ne t'en fais pas trop de mes chienneries, pauvre Bruno : si je te transperce si bien de mes regards de feu, c'est que nos sangs autrefois étaient mêlés, que ta ligne de vie se prolonge dans ma main, que j'ai le cœur grouillant des mêmes vers rongeurs : toutes tes bassesses et tes indignités, je les ai; et tout le mal que je viens de dire de toi, je l'ai trouvé au fond de moi.»

Mes proches sont de pauvres innocents et j'éprouve pour eux une pitié douloureuse, car ils ne savent pas que le monde des apparences les trompe sans mal. S'ils m'aiment, ce n'est pas parce que je suis le garçon que je suis, mais parce que je suis leur sang. S'ils sont là, à mon chevet, ce n'est pas parce que je meurs, mais parce que meurt une parcelle d'eux-mêmes. Si je n'incarnais pas cette lumière familière qu'ils croient reconnaître en eux, ils se ficheraient de moi comme ils se fichent de n'importe quel mourant; et s'ils étaient des Bélanger, des Gravel ou des Tremblay, ils fuiraient les hôpitaux, mais pourtant je serais toujours le même garçon, je serais moi-même, Frédéric Langlois de la paroisse Sainte-Philomène, né un 4 mars à l'hôpital de la Miséricorde, affligé de la même hanche pourrie et du même cancer de l'âme.

C'est fou, mais ça me fait délirer comme les prophètes, cette histoire-là, et je suis le premier surpris : oui, c'est à mon tour de dire sans rire qu'il faut aimer tout le monde, les meurtriers, les lépreux, les violeurs, les athées, les héroïnomanes, les nazis, les prostituées... Ou alors il faut n'aimer personne, sinon c'est une humanité ni chair ni poisson qu'on a dans le ventre; c'est une moitié de soleil qui éclaire mal les hommes égarés, un demi-firmament constellé de métastases.

C'est simple comme bonjour : on pardonne absolument tout ou absolument rien, les deux chemins sont possibles et tout aussi valables, mais, si on décide de pardonner, il faut comprendre que c'est un engrenage, l'engrenage du pardon. L'amour pur et vrai est à des années-lumière de la raison, parce que tout le monde est aussi quelqu'un d'autre, moi le premier : je n'ai jamais été le petit ange qu'on croyait. J'avais promis d'être un homme digne jusqu'au bout, mais je me suis aplati et j'aurai honte pour l'éternité; je suis un mutant au cœur minuscule comme une fraise sauvage et je mérite toutes les saloperies qui me tombent dessus. J'ai des douleurs qui irradient dans les entrailles comme les rayons d'un brûlant soleil; je sens que ma hanche s'effrite, que mes os de craie se désagrègent et que le vent emporte ma poussière d'homme dans les ténèbres.

Oui, ça y est, c'est ça, c'est arrivé, ça m'arrive, et je plie déjà les genoux sous le poids de mon mal natal qui s'ajoute à tout ce mal qu'on me fait pour mon bien et qui fait tomber mes cheveux et saigner mes gencives, avant que demain tombent mes dents. Le pire, c'est que le drame de la perte fait la gloire des âmes faibles : il suffit d'être un homme tourmenté, condamné à chercher un sens à sa vie au milieu du chaos, à gémir de ne rien comprendre à ce pot aux roses, et il se trouvera toujours des filles naïves pour louanger ces courtes pensées, immatures comme les cauchemars d'un enfant incapable de mourir à lui-même et de porter ses raisonnements jusqu'au bout de l'infini.

Oui, les femmes sont trop douces, trop pures et trop bonnes pour ce monde sans pitié, et elles nous font entrevoir le paradis qu'aurait pu être l'univers, ce qui arrache le cœur des hommes qui vont mourir, mais, moi, mon idée est faite : je repousse l'amour et la vie, et ce dédain est ma morphine; et même si Dieu m'apparaissait soudainement comme un coucou de la dernière heure pour m'arracher à mon tombeau, je refuserais de toutes mes dernières forces ses miracles saupoudrés. Oui, je le jure sur la tête et le sang des enfants du Bangladesh, juré craché : si Dieu se mêlait de venir me sauver contre mon gré, je me tuerais moi-même devant lui pour lui montrer ce que c'est, le courage et le mépris; je m'ouvrirais les veines, j'irais me pendre dans la cave, je me tirerais une balle dans la bouche, ou encore mieux : je m'enterrerais vivant comme un Maître de lance africain. La peur de la souffrance n'empêche pas qu'il faut parfois mourir jeune pour une question de principe, et ce sacrifice surhumain n'est plus au-dessus de mes forces, et puis j'en ai assez des illuminés qui se soûlent de miracles par-ci et de prodiges par-là – le miracle de tirer toute sa joie de l'instant qui passe; le prodige de s'habituer à tous les écœurements et de vivre heureux malgré la misère humaine –, et leurs larmes de joie me dégoûtent, mais je serai bientôt libéré, car j'ai choisi ma destinée : ce sera celle des hommes abandonnés à leur sort dans la nuit des temps.

J'ai entendu dire que, quelque part dans la Bible, Dieu se repent d'avoir fait l'homme sur la Terre, et qu'il le regrette dans son cœur, mais je ne le lirai jamais de mes yeux lu; il est trop tard : j'ai déjà demandé à ma grand-mère Émilia de venir m'administrer l'extrême-onction avec son parfum de jonquille ou de giroflée, et je lui ai dit d'apporter son beau chapelet des morts, celui aux grains creux remplis de terre des catacombes de Rome – c'est qu'il doit fonctionner à merveille, ce chapelet magique, et j'ai le goût d'entendre des je-vous-salue-Marie récités par ma grand-mère, dont la voix est la musique de mon enfance. En attendant, je me soûlerais bien à l'eau-de-vie de cerises-à-cochons : ça me ferait du bien, ça m'engourdirait un peu la cervelle comme le vin de myrrhe des Évangiles, et je lèverais mon calice de sang à la solitude de la nuit, à la tristesse de ceux qui ne croient en rien et qui sont venus au monde pour tout perdre, à ces forces qui me dépassent et dont je suis la proie, mais je boirais mal, c'est fatal : mon peuple n'est pas né dans les vignes, mais il est pelleteur de nuages et bouffeur de neige. Le plus beau, c'est que, avec un peu de chance, je mourrai peut-être le 25 décembre, comme un petit antéchrist. Du fond de mon enfer, je pourrai enfin maudire ce monde de poètes mollasses qui, dans leur quête des médailles, s'appliquent à poétiser la mort et la souffrance des autres, et, franchement, ça vaut bien un dernier poème archicon.

Je pars sans y croire,
je m'éteins
sans avoir flambé,
comme un bâton d'encens
qui pue
la messe des morts.

Je répète sans cesse ces derniers vers désespérés parce que la faucheuse n'est pas syndiquée; elle n'a pas de quart de travail et peut descendre du ciel quand le cœur lui en dit. C'est pas comme les pères Noël dans leurs hélicoptères. C'est pas non plus comme les pauvres pions en guenilles du temps des fêtes, les personnages des crèches vivantes qui se gèlent les pieds dans la neige, devant les églises, pour un public d'hallucinés infantiles. En tout cas, si Dieu veut vraiment exister pour les hommes à venir, je lui conseillerais fortement d'arriver à califourchon sur un bon rayon de soleil, sur un de ceux qui éblouissent dans la lumière d'une adoration, sinon, je ne donne pas cher de sa peau de fantôme chez les coupeurs de têtes. Moi, sa vie, j'y ai goûté en enfant de chienne, et je m'efface dans une grimace, mais peut-être aussi que je pleurerai de joie en plongeant dans la nuit éternelle, qui sait? On se connaît si peu soi-même qu'il faut toujours envisager le pire.

C'est fou, mais je me demande pourquoi on a tant besoin du bien et du mal pour vivre sur cette terre. Et pourquoi ne peut-on pas toucher à la grâce avant de rendre l'âme? Qu'est-ce qu'elle a donc à perdre, cette grâce snobinarde qui ne peut faire le bonheur des hommes vivants? Mais je me console à l'idée que le mal n'est pas ce qu'on croit : le mal, c'est cette idée vache qu'un homme ne peut pas se sauver lui-même, mais ça se soigne au rince-cochon.

Ah! Ça y est, ça y est, eurêka! je pense que je viens enfin de trouver mes dernières paroles, les vraies de vraies!

La foudre a frappé ma plume et voici son enfant :

On meurt comme on émigre,
rêvant de paix et de richesses,
le cœur gros d'une terre natale.

Oui, c'est en plein ça, j'ai enfin capturé le sphinx de mes nuits, c'est exactement ça que je veux qu'on retienne de moi. Enfin, bordel, enfin! je vais pouvoir mourir du bon pied pour entrer dans la légende. Finalement, toute ma vie n'aura eu lieu que pour aboutir à ces quelques mots qui seront mes dernières traces humaines dans la neige et je remercie les étoiles de m'avoir permis de respirer jusque-là. C'est pas grand-chose, c'est sûr, c'est l'Himalaya qui accouche d'un cochon d'Inde, mais c'est mon essence; c'est le cadeau empoisonné que je laisse dans mon petit sillon, à ceux qui ont des yeux pour voir et un cœur pour être écœurés. Ma poésie aura été une Sodome et Gomorrhe, et le monde, une femme de Loth; et moi j'aurai été une promesse d'ivrogne, un été de pluie, un pedigree de chien écrasé, une grossesse nerveuse, une fausse couche. J'aurai craché dans ma soupe jusqu'au bout, car la poésie ne sauve les poètes d'aucun mal, mais elle les emmure vifs dans tout ce qu'ils ont toujours su. Je me comprends mais je me fatigue. J'ai une aiguille plantée dans le bras, par où coule dans mes veines, goutte à goutte, un sérum de vérité, ou un venin de cobra, et je me serai tué à dire tout ce que je pensais vraiment. Oui, j'ai tellement dit de choses vraies ces derniers temps que j'en ai perdu toutes mes forces vitales, que je me suis suicidé au large de la Terre, au loin, à des années-lumière des hommes, des femmes, des miens qui souffrent de ne plus me reconnaître, moi qui bave de méchanceté comme un choléra, mais je n'ai plus du tout envie de faire passer mon cœur de pierre pour une médaille de bravoure. De toute façon, c'est con de rire et je regrette d'avoir ri : on finit toujours par s'effondrer, et voilà que j'ai les paupières pesantes, que je frissonne de faiblesse; j'ai des haut-le-cœur et des vertiges; et puis, tantôt, en buvant de l'eau, j'ai laissé comme la trace d'un baiser de femme sur le bord de mon verre, mais ce n'est pas du rouge à lèvres, non, c'est autre chose, c'est beaucoup plus grave : c'est la peau de ma bouche sanglante qui se détache en lambeaux qui collent partout. Ce sont des baisers d'adieu que je donne au monde, les baisers de la mort, et je suis tout décrinqué : c'est un bien mauvais jour qui inaugure le commencement de la fin.

Il me reste juste à ramasser les bébelles, rapailler mes affaires, paqueter les p'tits, fermer l'eau et l'électricité, baisser les stores (et puis m'évaporer dans la nature en claquant la parenthèse).

Le poète Métastase est parti se coucher.

Dieu hait son âme. Et puis fuck.

LES ALLUSIFS

1. *Tête de pioche*
   André Marois
2. *Prague, hier et toujours*
   Tecia Werbowski
3. *L'autre*
   Pan Bouyoucas
4. *King Lopitos*
   Vilma Fuentes
5. *Du mercure sous la langue*
   Sylvain Trudel
6. *Opéra*
   Elena Botchorichvili
7. *L'Origine du monde*
   Jorge Edwards
8. *Amour anonyme*
   Tecia Werbowski
9. *Amuleto*
   Roberto Bolaño

MISE EN PAGES : SYLVAIN BOUCHER

ACHEVÉ D'IMPRIMER EN MAI 2002
SUR LES PRESSES DE L'IMPRIMERIE GAUVIN
À GATINEAU (QUÉBEC)

Imprimé au Canada